수능까지 연결되는
초등

디딤돌
독해력

디딤돌 독해력[초등국어] 1

펴낸날 [초판 1쇄] 2018년 11월 1일 [초판 11쇄] 2024년 2월 25일
펴낸이 이기열
펴낸곳 (주)디딤돌 교육
주소 (03972) 서울특별시 마포구 월드컵북로 122 청원선와이즈타워
대표전화 02-3142-9000
구입문의 02-322-8451
내용문의 02-325-6800
팩시밀리 02-338-3231
홈페이지 www.didimdol.co.kr
등록번호 제10-718호

※ (주)디딤돌 교육은 이 책에 실린 모든 글의 출처를 찾기 위해
최선의 노력을 기울였습니다.
저작권자를 찾지 못해 허락을 받지 못한 글은 저작권자가 확인되는 대로
통상의 사용료를 지불하겠습니다.

독해

초등부터 시작하고
수능까지 연결하라

5
글의 구조를 떠올리며 읽어요

1주	글쓴이가 말하고자 하는 생각을 파악해요
2주	여러 가지 설명 방법을 이해해요
3주	글의 짜임을 파악해요
4주	글의 종류에 따라 읽기 방법을 달리해요
5주	글의 구조에 따라 내용을 요약해요
6주	자료의 특성을 생각하며 읽어요
7주	인물, 사건, 배경의 관계를 이해해요
8주	여러 가지로 해석되는 낱말의 뜻을 짐작해요

6
글과 소통하며 능동적으로 읽어요

1주	관용 표현의 뜻을 이해해요
2주	주장과 근거의 타당성을 판단해요
3주	글을 읽으며 지식과 경험을 활용해요
4주	글에 드러나지 않은 내용을 추론해요
5주	글쓴이의 관점이나 의도를 파악해요
6주	작품 속 인물을 자신과 관련지어 이해해요
7주	내용과 표현의 적절성을 판단해요
8주	비유하는 표현을 이해해요

기초를 다진 후에
본격 독해로 LEVEL UP

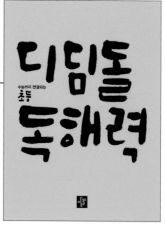

1

짧고 쉬운 글을
차근차근 읽어요

1주	낱말의 뜻을 정확히 알아요
2주	인물의 말과 행동을 상상해요
3주	느낌과 분위기를 살려 읽어요
4주	누가 무엇을 했는지 확인해요
5주	상황에 알맞은 내용을 찾아요
6주	글에 어울리는 제목을 붙여요

2

다양한 글을
재미있게 읽어요

1주	꾸며 주는 말로 생생히 읽어요
2주	인물의 처지와 마음을 헤아려요
3주	인물의 모습과 행동을 상상해요
4주	설명하는 내용을 이해해요
5주	일이 일어난 차례를 살펴요
6주	글의 중심 생각을 찾아요

3

개념을 생각하며
꼼꼼하게 읽어요

1주	인물의 마음 변화를 파악해요
2주	감각적 표현의 재미를 느껴요
3주	상황에 맞게 실감 나게 읽어요
4주	중심 문장을 찾아요
5주	글쓴이의 의견을 파악해요
6주	글의 흐름을 파악해요
7주	드러나지 않은 내용을 짐작해요
8주	글의 내용을 짧게 간추려요

4

길고 어려운 글을
정확하게 읽어요

1주	글쓴이의 마음을 짐작해요
2주	인물, 사건, 배경을 이해해요
3주	이어질 내용을 짐작해요
4주	사실과 의견을 구분해요
5주	주장과 근거를 파악해요
6주	의견이 적절한지 판단해요
7주	글의 종류에 맞게 내용을 간추려요
8주	글의 주제를 파악해요

독해는 초등부터
시작해야 합니다

'독해는 고학년이 되면 잘할 수 있겠지.' 라고 막연하게 생각하고 계신가요?

하지만 학년이 높아져도 글 읽기를 어려워하는 학생들이 많이 있습니다.

글을 '제대로' 읽어보려는 노력 없이 독해력을 저절로 기를 수는 없습니다. 단순히 눈으로 활자를 읽어내는 것이 아니라, 읽은 내용을 토대로 **적극적으로 사고하는** **'독해'**를 하려면 초등생 때부터 체계적이며 반복된 훈련이 필요합니다.

독해력은 단기간에 기를 수 없기에,
일찍 시작해서 차곡차곡 쌓아야 합니다!

모든 공부의 기본과 기초는 독해입니다.

교과서의 내용은 물론 인터넷, 신문 등 일상에서 접하는 지식과 정보가 대부분 글로 이루어져 있기 때문입니다.

기본적으로 독해력이 튼튼하게 뒷받침된 학생은 학교 공부도 잘합니다.

사고력이 커지며 스스로 생각하는 힘을 키우는

초등생이 독해 공부를 시작하기 딱 좋은 시기입니다.

독해를 일찍 공부한 학생
- 국어뿐 아니라, 다른 교과 내용도 수월하게 이해함.
- 정보를 읽고 받아들이는 힘이 생겨 자기주도적 학습 능력이 향상됨.
- 의사소통 능력이 향상됨.
→ 꾸준하고 의도적인 노력을 통해 독해력을 길러야 합니다.

독해는 수능까지
연결되어야 합니다

이제 초등생인데 수능이라니요. 제목만 보고 당황하셨지요?

하지만 이 책에서 '수능'을 언급한 것은 초등학생 때부터 수능 시험을 대비하자는
의미가 아닙니다.

뜬구름을 잡는 것처럼 무작정 많이 읽는 비효율적인 공부가 아니라, **'학교 시험'과
'수능'이라는 목표를 향해 제대로 첫 발자국을 내딛자**는 의미입니다.

초등에서 고등까지,
독해의 기본 원리는 같습니다!

일반적으로 국어 학습 내용은 나선형으로 심화된다
고 이야기합니다. 학습 내용이 이전 학년의 것을 기
본으로 점차적으로 어려워지고, 많아지고, 깊어지기
때문입니다. 그 중에서도 특히 '독해'는 초등에서 고
등까지 핵심 개념이 같으며, 지문과 어휘 수준의 난
도가 올라갈 뿐입니다. 따라서 이 책은 초등 독해의
첫 시작점을 정확히 내딛어 궁극적으로 수능까지 도
달할 수 있도록 구성하였습니다.

예를 들어, 수능에 자주 출제되는 '중심 화제 파악'이라는 독해 원리를
살펴볼까요?

우리 책에서는 학년별로 해당 독해 원리를 차근차근 심화하며 궁극적으로는
수능까지 개념이 이어지도록 목차를 설계하였습니다.

1학년	6주	글에 어울리는 제목을 붙여요
2학년	6주	글의 중심 생각을 찾아요
3학년	4주	중심 문장을 찾아요
4학년	8주	글의 주제를 파악해요
5학년	1주	글쓴이가 말하고자 하는 생각을 파악해요
6학년	5주	글쓴이의 관점이나 의도를 파악해요

수능
중심 화제 파악

독해 공부는 속도가 아니라 방향이 중요합니다.

학교 시험을 잘 보고, **수능까지 연결되는 진짜 독해 공부**를 시작해 보세요.

디딤돌 독해력으로 독해 실력을 차근차근 높여요!

이 책은 초등학생이 학습 발달 단계에 맞춰 무리 없이 독해를 공부할 수 있도록,

초등 국어 교과서 성취기준을 근거로 독해 원리를 설정하였습니다.

1~2학년은 6개, 3~6학년은 8개의 독해 목표를 선별한 후, 독해 원리를 충분히 체화할 수 있도록

1주 5day 학습으로 구성하였습니다.

글의 종류는 문학과 비문학을 고루 싣고, 학년이 높아질수록 비문학 비중을 높여

까다로운 지문에 대비할 수 있도록 하였습니다.

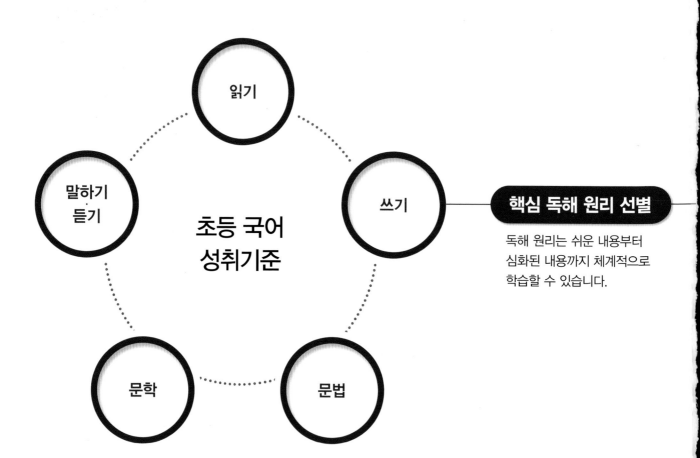

핵심 독해 원리 선별

독해 원리는 쉬운 내용부터
심화된 내용까지 체계적으로
학습할 수 있습니다.

1

수능까지 연결되는
초등

디딤돌
독해력

디딤돌

무엇을 공부할까요?

교과서에서는 이런 것을 배워요! (초등 1, 2학년군 성취기준)	수능에는 이렇게 나와요!
• 글자를 바르게 쓴다. • 글자, 낱말, 문장을 관심 있게 살펴보고 흥미를 가진다.	모양은 비슷하지만 뜻이 다른 낱말들을 정확히 구분할 수 있는지 묻는 문제가 나와요.
• 글을 읽고 인물의 처지와 마음을 짐작한다. • 인물의 모습, 행동, 마음을 상상하며 그림책, 시나 노래, 이야기를 감상한다.	인물의 말이나 행동을 바탕으로 등장인물에 대해 잘 이해하고 있는지 묻는 문제가 나와요.
• 느낌과 분위기를 살려 그림책, 시나 노래, 짧은 이야기를 들려주거나 듣는다.	글의 느낌과 분위기를 알맞게 살려 글을 읽을 수 있는지 묻는 문제가 나와요.
• 글을 읽고 주요 내용을 확인한다. • 인물의 모습, 행동, 마음을 상상하며 그림책, 시나 노래, 이야기를 감상한다.	인물이 처한 상황에 따라 인물의 행동이 어떻게 달라지는지 파악하는 문제가 나와요.
• 자신의 생각을 문장으로 표현한다. • 글자, 낱말, 문장을 관심 있게 살펴보고 흥미를 가진다.	글의 상황을 다른 말로 바꾸어 표현하거나 상황에 알맞은 말을 찾는 문제가 나와요.
• 글을 읽고 주요 내용을 확인한다.	글의 중심 내용이나 중심 생각을 파악해 알맞은 제목을 정하는 문제가 나와요.

어떻게 공부할까요?

1 독해 목표 확인
목표를 알고 산을 오르자

한 주에 하나씩,
딱 뽑은 핵심 독해 원리 6개

무작정 읽기는 노노~ 초등 성취기준에서 잘
뽑은 독해 원리를 한 주에 하나씩 배우니 부담
없이 효율적으로 공부할 수 있어요.

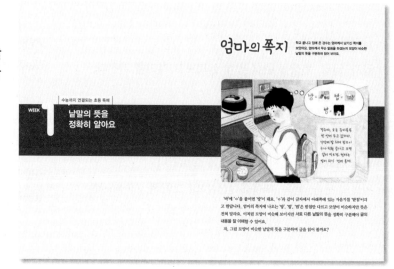

2 어휘 미리보기
어휘를 잡으면 독해가 쉬워진다

스토리로 이해하면
기억에 오래~ 남는다

어휘 공부 따로, 독해 공부 따로 하면 머릿속에 잘 안 들어오지요? 오늘 공부할
글에 나오는 단어를 스토리로 이해하고, 빈칸에 직접 써 보면 단어의 뜻을 오래
기억할 수 있어요.

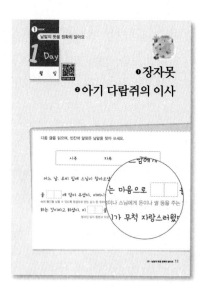

3 지문 읽기 & 문제 풀기
목표 달성을 위한 집중 훈련!

기본기와 원리
두 마리 토끼를 잡아라

글의 내용을 이해하는 것은 기본, 원리를 적용해서 꼼꼼하고 정확하게 읽어요.

번호 위에 달린 불끈 쥔 주먹은 문제 속 개념을 꽉 잡을 수 있도록 도와 줍니다!

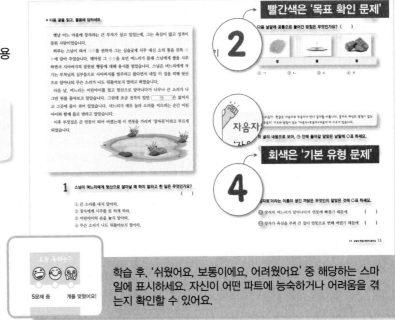

빨간색은 '목표 확인 문제'

회색은 '기본 유형 문제'

학습 후, '쉬웠어요, 보통이에요, 어려웠어요' 중 해당하는 스마일에 표시하세요. 자신이 어떤 파트에 능숙하거나 어려움을 겪는지 확인할 수 있어요.

4 학습 마무리
정리한 개념을 수능까지 연결한다

수능을 향한 공부 방향 확인

학습 효율을 높이는 복습은 필수! 공부한 내용을 한눈에 알 수 있도록 표로 정리했어요. 수능(기출)까지 연결되는 내용을 살펴보며 공부 방향을 잘 잡고 있음을 확인해요.

디딤돌 독해력을 어떻게 공부해야 할지 궁금하다면? **QR 코드로 검색해 보세요.**
선생님의 강의 동영상을 보면서 주차별 독해 원리를 익히고 대표지문으로 실전 독해 훈련을 합니다.

학습 계획표

공부한 날

WEEK **1**

수능까지 연결되는 초등 독해

낱말의 뜻을
정확히 알아요

엄마의 쪽지

학교 끝나고 집에 온 경수는 엄마께서 남기신 쪽지를 보았어요. 엄마께서 무슨 말씀을 하셨는지 모양이 비슷한 낱말의 뜻을 구분하며 읽어 보아요.

'바'에 'ㅇ'을 붙이면 '방'이 돼요. 'ㅇ'과 같이 글자에서 아래쪽에 있는 자음자를 '받침'이라고 한답니다. 엄마의 쪽지에 나오는 '방', '밥', '밤'은 받침만 다르고 모양이 비슷하지만 뜻은 전혀 달라요. 이처럼 모양이 비슷해 보이지만 **서로 다른 낱말의 뜻**을 정확히 구분해야 **글의 내용을 잘 이해**할 수 있어요.

자, 그럼 모양이 비슷한 낱말의 뜻을 구분하며 글을 읽어 볼까요?

❶ 장자못
❷ 아기 다람쥐의 이사

다음 글을 읽으며, 빈칸에 알맞은 낱말을 찾아 쓰세요.

시주	자루	광경

어느 날, 우리 집에 스님이 찾아오셨다. 어머니께서는 스님에게 쌀과 떡

을 [   ]에 담아 주셨다. 어머니께서는 남을 돕는 마음으로 [   ]를

속에 물건을 담을 수 있도록 헝겊으로 만든 길고 큰 주머니   조건 없이 절이나 스님에게 돈이나 쌀 등을 주는 일

하는 것이라고 하셨다. 이 [   ]을 본 나는 어머니가 무척 자랑스러웠다.

벌어진 일의 형편과 모양

● 다음 글을 읽고, 물음에 답하세요.

　옛날 어느 마을에 장자라는 큰 부자가 살고 있었는데, 그는 욕심이 많고 성격이 못된 사람이었습니다.

　하루는 스님이 와서 시주를 권하자 그는 심술궂게 시주 대신 소의 똥을 잔뜩 자루에 담아 주었습니다. 때마침 그 광경을 보던 며느리가 몰래 스님에게 쌀을 시주하면서 시아버지의 잘못된 행동에 대해 용서를 빌었습니다. 스님은 며느리에게 자기는 부처님의 심부름으로 시아버지를 벌주려고 왔다면서 내일 이 집을 피해 뒷산으로 달아나되 무슨 소리가 나도 뒤돌아보지 말라고 하였습니다.

　다음 날, 며느리는 어린아이를 업고 뒷산으로 달아나다가 너무나 큰 소리가 나 그만 뒤를 돌아보고 말았습니다. 그런데 조금 전까지 있던 　　⊙　　　은 없어지고 그곳에 물이 괴어 있었습니다. 며느리가 매우 놀라 소리를 지르려는 순간 어린아이와 함께 돌로 변하고 말았습니다.

　이후 부잣집은 큰 연못이 되어 버렸는데 이 연못을 가리켜 '장자못'이라고 부르게 되었습니다.

1 스님이 며느리에게 뒷산으로 달아날 때 하지 말라고 한 일은 무엇인가요?
（　　　）

① 큰 소리를 내지 말아라.
② 장자에게 시주를 못 하게 하라.
③ 어린아이의 손을 놓지 말아라.
④ 무슨 소리가 나도 뒤돌아보지 말아라.

2 다음 낱말에 공통으로 들어간 받침은 무엇인가요? ( )

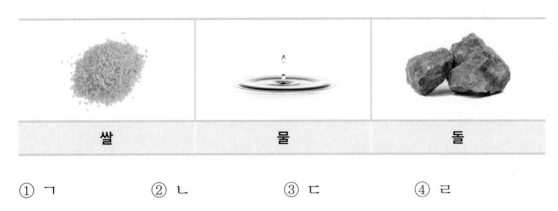

| 쌀 | 물 | 돌 |

① ㄱ   ② ㄴ   ③ ㄷ   ④ ㄹ

낱말의 뜻
정확히 알기

자음자와 모음자 한글은 자음자와 모음자가 만나 글자를 이룹니다. 글자의 짜임은 받침이 없는 '자음자+모음자' 구조와 받침이 있는 '자음자+모음자+자음자'의 구조가 있습니다.

낱말의 뜻
정확히 알기

3 이 글의 내용으로 보아, ㉠ 안에 들어갈 알맞은 낱말에 ○표 하세요.

❶ 짐   ❷ 집   ❸ 짚

( )   ( )   ( )

---

4 '장자못'이라는 이름이 생긴 까닭은 무엇인지 알맞은 것에 ○표 하세요.

❶ 장자의 며느리가 달아나다가 연못에 빠졌기 때문에   ( )

❷ 장자가 욕심을 부려 큰 집이 연못으로 변해 버렸기 때문에   ( )

● 다음 글을 읽고, 물음에 답하세요.

아기 다람쥐가 이사를 가게 되었어요. 아기 다람쥐는 아기 토끼와 아기 곰에게 정성껏 만든 호두 목걸이를 선물로 주었어요.

"이사 가더라도 자주 놀러 올게. 내가 없는 대신 이 호두 목걸이를 보고 내 생각 해야 돼."

아기 다람쥐가 말했어요.

아기 토끼와 아기 곰은 슬퍼하며 고개를 끄덕였어요.

며칠 뒤 아기 토끼가 아기 곰에게 찾아왔어요.

"앙앙, 어떡해! 호두 목걸이를 잃어버렸어. 어제 숲에서 미끄럼틀을 타다가 잃어 버린 모양이야."

아기 토끼와 아기 곰은 숲 여기저기를 찾아보았지만, 호두 목걸이는 보이지 않았 어요. 아기 토끼는 속상해서 눈물을 흘렸어요.

5 이 글에서 알 수 있는 아기 토끼의 마음으로 알맞은 것을 두 가지 고르세 요. (   )

① 슬프다.　　　　　　② 즐겁다.

③ 반갑다.　　　　　　④ 속상하다.

오늘 독해는?

5문제 중　　　개를 맞혔어요!

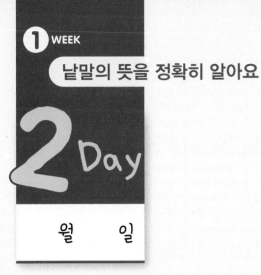

2 Day

월   일

❶ 김장하는 날
❷ 도산 안창호

다음 글을 읽으며, 빈칸에 알맞은 낱말을 찾아 쓰세요.

마당	찬장	채비

☐☐ 에서 꽃씨를 발견한 은이는 ☐☐ 으로 나가 씨를 심고는 매

음식이나 그릇 따위를 넣어 두는 장   집의 앞이나 뒤에 평평하게 닦아 놓은 땅

일매일 보살펴 주었어요. 그러던 어느 날, 흙에서 새싹이 살짝 얼굴을 내밀

었어요. 꽃씨가 봄을 맞이하여 꽃을 피울 ☐☐ 를 하고 있나 봐요. 새싹

어떤 일을 위해 필요한 물건이나 자세 등이 미리 갖추어지거나 그렇게 되게 하는 것

을 본 은이 얼굴에도 꽃이 피었답니다.

● 다음 글을 읽고, 물음에 답하세요.

일요일 아침, 이웃에 사는 아주머니들께서 오셨어요. 마당에는 어젯밤에 소금에 절여 놓은 배추가 쌓여 있었어요.

"영선이 엄마, 무랑 마늘 주세요."

옆집 아주머니께서는 무를 썰었고, 앞집 아주머니께서는 마늘을 찧었어요. 엄마는 미나리와 파를 다듬었어요.

"영선아, 찬장에 가서 소금 좀 가져와라."

난 어른들 심부름을 하느라 부엌으로, 마당으로 뛰어다녔어요.

엄마와 이웃 아주머니들은 썰어 놓은 채소와 여러 가지 양념에 고춧가루를 넣어 깨끗이 씻어 놓은 배추에 버무렸어요. 엄마는 양념을 넣은 배추를 하나 뜯어 내 입에 넣어 주셨어요.

올해 김장은 이웃 아주머니들께서 도와주어서 편하게 하셨다면서 엄마는 아주머니들께 맛있게 담근 김치를 조금씩 싸 주셨어요.

내일은 옆집 아주머니께서 김장하는 날이라서 엄마가 도와주러 가신다고 해요. 여럿이 도와 즐겁게 김장을 담그니 그만큼 더 맛있는 김치가 되는 것 같아요.

1 이 글에 나오는 인물이 한 일은 무엇인지 각각 선으로 이으세요.

❶ 엄마 •

❷ 옆집 아주머니 •

❸ 앞집 아주머니 •

• ㉮ 무를 썰었다.

• ㉯ 마늘을 찧었다.

• ㉰ 미나리와 파를 다듬었다.

받침 있는 글자 만들기   글자에 받침이 더해져서 새로운 글자가 되었습니다. 글자와 그림을 보고 글자의 아래쪽에 자음자를 넣어 받침이 있는 글자를 만들어 봅니다. 받침에는 여러 가지 자음자를 사용할 수 있습니다.

낱말의 뜻
정확히 알기

2 이 글에 나오는 '무'와 '파'에 자음자를 넣어 다음 그림에 알맞은 받침 있는 글자를 만들어 쓰세요.

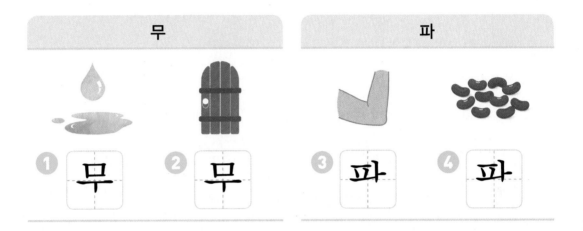

낱말의 뜻
정확히 알기

3 다음은 김장하는 차례를 정리한 것입니다. 빈칸에 들어갈 말을 낱말의 받침에 주의하여 쓰세요.

배추를 [　　] 에 절인다. → 채소를 썰어 놓는다. → 채소와

여러 가지 [　　] 에 고춧가루를 넣는다. → 배추에 양념을 넣

어 버무린다.

4 다음 그림에 알맞은 낱말에 ○표 하세요.

경치　　　　　김치　　　　망치

참치

● 다음 글을 읽고, 물음에 답하세요.

일본 군인들이 독립 운동을 하는 많은 한국인들을 잡아들였을 때입니다. 어느 날, 안창호 선생님이 밖에 나갈 채비를 했습니다.

"아니, 어딜 가시려고……. 지금 바깥에 나가시는 것은 위험합니다."

"친구 딸 생일이어서 다녀오려고 하네. 생일 선물을 가지고 꼭 찾아가겠다고 약속을 했거든."

주위 사람들은 안창호 선생님을 막아서며 말했습니다.

"절대 안 됩니다."

그러자 안창호 선생님이 조용히 말했습니다.

"내가 약속을 어기면 기다리던 아이가 얼마나 실망하겠나? 불행하게 내가 잡히더라도 약속은 꼭 지켜야 하네. 작은 약속도 지키지 못한 사람은 큰일도 이룰 수 없기 때문이지."

함께 있던 사람들은 더 이상 안창호 선생님을 막을 수 없었습니다.

5 이 글에서 알 수 있는 안창호 선생님의 생각은 무엇입니까? (　　　)

① 약속은 꼭 지켜야 한다.
② 바깥에 나가는 것은 위험하다.
③ 생일 선물은 꼭 준비해야 한다.
④ 독립 운동은 아무나 하는 것이 아니다.

오늘 독해는?

5문제 중　　　개를 맞혔어요!

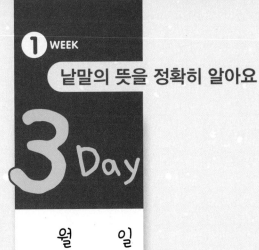

❶ 선생님의 웃음

❷ 이슬이의 일기

다음 글을 읽으며, 빈칸에 알맞은 낱말을 찾아 쓰세요.

상냥한	정성	모둠

미술 시간에 점토 만들기를 했어요. 선생님께서 헤매고 있는 우리 ☐☐

초·중등학교에서, 효율적인 학습을 위하여 학생들을 대여섯 명씩 짝을 지어 묶은 모임

으로 오셔서 ☐☐☐ 목소리로 "얘들아, 이렇게 ☐☐ 을 들여서 만

성질이나 태도가 밝고 부드러우며 친절한   온갖 힘을 다하려는 참되고 성실한 마음

들면 된단다."라고 가르쳐 주셨어요. 우리들은 힘을 내어 차근차근 만들었

어요. 그 결과 멋진 공룡을 완성하였어요.

● 다음 시를 읽고, 물음에 답하세요.

선생님의 웃음
상냥한 웃음
선생님의 웃음에
정성이 담겨 있고

선생님의 웃음
친절한 웃음
선생님의 웃음에
사랑이 담겨 있고

선생님의 웃음
고마운 웃음
선생님의 웃음에
우리의 꿈이 담겨 있네.

1 이 시는 누구에 대해 쓴 시인지 알맞은 인물에 ○표 하세요.

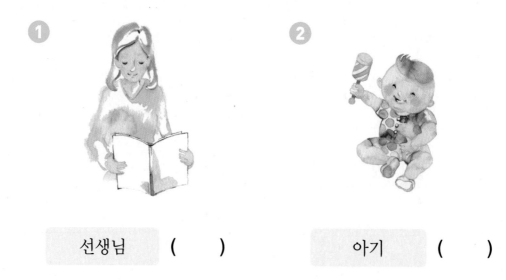

❶

선생님 ( )

❷

아기 ( )

낱말의 뜻 정확히 알기

2 선생님의 웃음에 담겨 있는 것은 무엇인지 알맞은 낱말에 ○표 하세요.

> 선생님의 웃음에는 정성, 사랑, 우리의 (꿀, 꿈)이 담겨 있습니다.

3 다음 중 선생님의 웃음에 대한 느낌으로 알맞은 것을 두 가지 고르세요.

(   )

① 고맙다.   ② 차갑다.

③ 무섭다.   ④ 친절하다.

 글자의 모양이 비슷한 낱말 글자의 모양이 비슷한 낱말은 모음자와 자음자, 받침이 달라지면 전혀 다른 뜻이 되므로 잘 구분하여 써야 합니다.

낱말의 뜻 정확히 알기

4 '웃음'을 '울음'으로 바꾸어 쓰면 어떻게 될지 알맞은 것에 ○표 하세요.

❶

> 뜻이 바뀌어서 내용이 맞지 않아요.

(   )

❷

> 글자의 모양이 비슷해서 바꾸어 써도 자연스러워요.

(   )

● 다음 글을 읽고, 물음에 답하세요.

20○○년 7월 8일 일요일

흐림

　학교에서 '시장 잔치'라는 노래를 배웠다. 선생님께서는 모둠에서 한 명씩 나와서 노래를 부르라고 하셨다. 우리 모둠에서는 나보고 나가라고 했다. 나는 앞에 나가서 열심히 노래를 불렀는데 아이들이 막 웃었다. 짝꿍이 나에게 "너 노래 정말 못한다."라고 말했다.

　앞으로는 친구들 앞에서 다시는 노래 부르지 않을 것이다.

낱말의 뜻
정확히 알기

5 **다음 낱말의 알맞은 뜻을 찾아 선으로 이으세요.**

❶　시간　•

　　　　　•　㉮ 여러 가지 상품을 사고파는 곳.

❷　시장　•

　　　　　•　㉯ 어떤 때에서 다른 때까지의 동안.

오늘 독해는?

5문제 중　　　개를 맞혔어요!

4 Day

월   일

❶ 주워 온 토마토 모종
❷ 고마운 해님

다음 글을 읽으며, 빈칸에 알맞은 낱말을 찾아 쓰세요.

생기	소중한	빙그레

돌잔치가 열렸어요. 우리 가족의 [　　] 막둥이, 근호의 첫 생일이
　　　　　　　　　　　　　　　　매우 귀중한

에요. 많은 사람의 축하를 받으며 행복 가득한 돌잔치를 했어요. 엄마, 아빠

의 얼굴에는 [　　] 가 돌았지요. 사람들의 따뜻한 마음이 전해졌는지 근
　　　　　활발하고 건강한 기운

호도 [　　　] 웃네요.

입을 약간 벌리고 소리 없이 부드럽게 웃는 모양

● 다음 글을 읽고, 물음에 답하세요.

한 달 전쯤의 일이었어요. 수정이는 학교 공부를 마치고 돌아오면서 토마토 모종을 들고 왔어요.

"엄마, 이 꽃나무가 죽으려고 해요."

"그건 토마토 모종이구나. 누가 이걸 버렸을까? 이것도 소중한 생명을 갖고 있는데……."

어머니께서는 꽃밭 한쪽에다가 토마토 모종을 심으셨어요. 그리고 그 옆에 나무 막대기를 꽂아 실로 토마토 모종을 ㉠묶으셨어요.

"토마토 모종이 꺾이지 않게 하기 위해서야."

어머니께서는 아기를 어루만지듯 조심조심 토마토 모종을 만져 주셨어요. 그러고는 우산으로 토마토 모종을 가려 주셨어요.

수정이는 몹시 궁금해하며 어머니께 여쭈어 보았어요.

"엄마, 토마토 모종에 왜 우산을 씌워요?"

"햇볕이 너무 강해서 토마토가 말라 죽을까 봐 가려 주는 거란다."

"엄마, 토마토가 살아날 수 있을까요?"

"그럼, 살기만 하겠니? 우리가 잘 돌보아 주면 곧 주렁주렁 열매도 맺을 거야."

어머니의 대답에 수정이는 활짝 웃었어요.

며칠이 지나고 수정이는 토마토 모종이 생기를 되찾는 모습을 보고 누구보다 기뻐했어요. 꽃이 지고 조그만 열매가 열렸을 때도 수정이는 기뻐서 어쩔 줄을 몰랐어요.

낱말의 뜻 정확히 알기

1 어머니께서 나무 막대기를 꽂아 실로 토마토 모종을 묶으신 까닭으로 알맞은 낱말에 ○표 하세요.

토마토 모종이 (꺽이지, 꺾이지, 겪이지) 않게 하기 위해서 입니다.

> 쌍받침이 있는 글자 'ㄲ', 'ㅆ'처럼 같은 자음자가 두 개인 받침을 '쌍받침'이라고 합니다. 'ㄲ', 'ㅆ' 뒤에 오는 자음은 강하게 발음됩니다. 쌍받침이 들어간 낱말에는 '낚시', '밖', '묶다', '닦다', '꺾다', '볶다', '섞다' 따위가 있습니다.

낱말의 뜻 정확히 알기

2 다음 낱말 중 밑줄 친 부분에 ㉠'묶'과 같은 받침이 들어간 낱말이 <u>아닌</u> 것은 무엇인가요? (   )

① <u>밖</u>
② <u>낚</u>시
③ <u>꺾</u>다
④ <u>잤</u>다

3 어머니께서 토마토 모종에 우산을 씌워 주신 까닭으로 알맞은 것에 ○표 하세요.

1 비가 오면 토마토가 비를 맞지 않게 해 주려고 (   )

2 햇볕을 가려 토마토가 말라 죽지 않게 하려고 (   )

4 토마토 모종이 생기를 되찾은 모습을 본 수정이의 마음은 어떠한가요?
(   )

① 아쉽다.
② 슬프다.
③ 기쁘다.
④ 지친다.

● 다음 글을 읽고, 물음에 답하세요.

어느 날, 아침부터 내리는 비에 수정이는 토마토가 감기에 걸릴까 봐 걱정했어요. 그런데 어느새 비가 그쳐 있었어요.

"수정아, 비가 그쳤으니 그만 걱정해도 되겠다. 방으로 들어가자."

"잠깐만요. 토마토가 기침하지 않도록 잎사귀에 묻은 빗물을 닦아 주고 들어갈래요."

수정이의 말을 듣고 어머니는 빙그레 웃으며 말씀하셨어요.

"수정아, 그럴 필요가 없단다. 식물들은 물이 있어야 잘 자라거든."

그래도 수정이는 좀처럼 걸음이 떼어지지 않았어요.

그런데 그때 수정이의 걱정을 알아차린 해님이 슬그머니 구름 속에서 얼굴을 내밀었어요.

"수정아, 걱정하지 마. 내가 토마토의 기침을 낫게 해 줄게."

"어머나! 해님, 정말 고마워요."

수정이는 해님을 향해 방긋 웃어 주었어요.

5 수정이가 해님을 향해 방긋 웃은 까닭은 무엇인가요? (　　　)

① 해님이 비를 다시 내리게 해 주어서
② 토마토가 기침하는 것이 재미있어서
③ 해님이 토마토를 따뜻하게 해 줄 것이어서
④ 해님이 수정이의 기침을 낫게 해 주겠다고 해서

오늘 독해는?

5문제 중　　　개를 맞혔어요!

굴참나무와
오색딱따구리

다음 글을 읽으며, 빈칸에 알맞은 낱말을 찾아 쓰세요.

| 씀씀이 | 앓기 | 몽땅 |

옛날. 욕심쟁이 놀부가 살았어요. 놀부는 동생 흥부를 따라 해서 부자가

되려다가 그만 박에서 나온 도깨비들에게 재산을 [ ][ ] 빼앗기게 되었
　　　　　　　　　　　　　　　　　　　　　　　　있는 대로 죄다

어요. 놀부는 시름시름 [ ][ ] 시작하였어요. 마음 [ ][ ][ ]가 큰 흥
　　　　　　　병에 걸려 고통을 겪기　　　　돈이나 물건 혹은 마음 따위를 쓰는 형편

부는 놀부에게 자신의 재산을 나눠 주었고 놀부는 자신의 잘못을 깨닫고

후회하였답니다.

깊은 산속에 커다란 굴참나무 한 그루가 살고 있었습니다. 굵은 나무 기둥과 길쭉한 잎을 가진 굴참나무는 마음 씀씀이가 참 넉넉하였습니다.

어느 날, 산비둘기 가족이 찾아와 나뭇가지에 앉았습니다.

"굴참나무 아저씨, 여기에서 우리 가족이 살게 해 주세요."

"오냐, 그렇게 하렴. 여기에서 행복하게 살아라."

산비둘기 가족이 집을 짓느라고 나뭇가지가 심하게 흔들렸습니다. 그러나 굴참나무는 아무런 말도 하지 않았습니다.

어느 날, 뾰족한 부리를 가진 오색딱따구리가 찾아와 말하였습니다.

"굴참나무 아저씨, 저도 여기에서 살게 해 주세요."

이 말을 들은 산비둘기가 말하였습니다.

"안 돼요, 아저씨. 오색딱따구리는 나무를 쪼아 대서 시끄러워요. 아침 일찍부터 시끄럽게 하면 늦잠을 잘 수 없잖아요?"

그러나 굴참나무는 오색딱따구리를 밝은 표정을 지으며 받아 주었습니다.

그런데 언제부터인가 굴참나무가 시름시름 앓기 시작하였습니다. 산비둘기 가족은 굴참나무를 떠났습니다.

"굴참나무 아저씨, 어디 아프세요?"

오색딱따구리가 물었습니다.

"내 몸에 나쁜 벌레들이 들어와 병이 들었단다. 내 걱정은 하지 말고 너도 어서 떠나라."

"갈 곳이 없는 저를 도와주신 아저씨를 모른 체할 수 없어요. 제가 아저씨 몸에 있는 나쁜 벌레들을 몽땅 잡겠어요."

오색딱따구리는 머리와 목을 망치처럼 움직이며 벌레를 잡기 시작하였습니다. 오색딱따구리는 며칠 동안 쉬지 않고 쪼아 댔습니다. 부리가 부서질 듯 아팠지만 벌레 잡는 일을 멈추지 않았습니다.

1 산비둘기가 오색딱따구리와 함께 사는 것을 반대한 까닭으로 알맞은 것에 ○표 하세요.

❶ 오색딱따구리는 나무를 쪼아 대서 시끄럽기 때문입니다. (　　)

❷ 산비둘기들이 나뭇가지를 다 차지해서 자리가 없기 때문입니다. (　　)

겹받침 글자 알기 'ㄺ'처럼 서로 다른 자음자가 두 개인 받침을 '겹받침'이라고 합니다. 서로 다른 자음자가 두 개인 받침에는 'ㄳ, ㄵ, ㄶ, ㄺ, ㄻ, ㄼ, ㄽ, ㄾ, ㄿ, ㅀ, ㅄ'이 있습니다.

낱말의 뜻
정확히 알기

2 글자 아래에 들어갈 알맞은 받침을 찾아 선으로 이으세요.

❶ 구 다 ・　　　　　・ ㉮ ㄵ

❷ 아 다 ・　　　　　・ ㉯ ㄺ

낱말의 뜻
정확히 알기

3 다음 밑줄 친 글자와 같은 받침이 들어 있는 글자는 무엇인가요? (　　)

굴참나무가 시름시름 <u>앓</u>기 시작하였습니다.

① 나무에 구멍을 <u>뚫</u>었다.
② 배고파서 밥을 <u>많</u>이 먹었다.
③ 오후 간식으로 <u>삶</u>은 감자를 먹었다.
④ 날씨가 더워져서 <u>얇</u>은 옷을 입었다.

4 굴참나무가 병이 들자 산비둘기와 오색딱따구리는 어떻게 하였는지 선으로 이으세요.

① 산비둘기 •

② 오색딱따구리 •

• **가** 굴참나무를 떠났습니다.

• **나** 나쁜 벌레를 잡아 주었습니다.

5 이 글에 나온 굴참나무에 대한 내용으로 알맞은 것은 무엇인가요?

( )

① 욕심이 많다.
② 자기만 생각한다.
③ 은혜를 갚을 줄 안다.
④ 마음 씀씀이가 넉넉하다.

오늘 독해는?

5문제 중 　개를 맞혔어요!

1 WEEK

낱말의 뜻을 정확히 알아요

마무리

독해 원리 학습

낱말의 뜻을 정확히
알아야 하는 까닭

1 글자가 비슷한 낱말을 구분하여 쓸 수 있다.

2 글을 읽을 때 문장을 정확히 이해할 수 있다.

3 전달하고자 하는 내용을 잘 전달할 수 있다.

글자의 모양이 비슷한 낱말은 낱말의 뜻을 정확히 알아야
글의 내용을 바르게 이해할 수 있어요.

므로, 열역학적 변수들이 ㉠같은 계들은 같은 '상태'에 있다고 할 수 있
다. 〈그림〉과 같이 피스톤이 연결된 실린더가 있고, 실린더에는 보

수능에는 모양은 비슷하지만 뜻이 다른 낱말들을 정확히
구분할 수 있는지 묻는 문제가 나와요.

30. 문맥을 고려할 때
것은?

① 동일한
② 동반한
③ 동화한
④ 균일한
⑤ 유일한

동일한
동반한
동화한

WEEK 2 인물의 말과 행동을 상상해요

롤러코스터를 타지 못한 이유

재민이네 태권도 학원에서 놀이공원으로 소풍을 왔어요. 다 같이 롤러코스터를 타려고 줄을 섰지만 재민이는 롤러코스터를 타지 못했어요. 키를 재는 직원은 재민이에게 무슨 말을 했을까요?

키를 재는 직원은 재민이에게 "키가 작아서 탈 수 없겠구나."라고 말했을 거예요. 이렇듯, 그림이나 글의 내용을 보고 **인물이 처한 상황**을 살펴보면 **인물이 할 말과 행동을 상상**할 수 있어요. 그리고 이야기 속 인물에 어울리는 목소리를 실감 나게 따라 하거나 상황에 알맞게 인물의 행동을 몸짓으로 흉내 내어 보면 **인물에 대해 더 잘 이해**할 수 있지요.

자, 그럼 인물의 말과 행동을 상상하며 글을 읽어 볼까요?

❶ 구멍 난 그릇
❷ 심심해서 그랬어요

다음 글을 읽으며, 빈칸에 알맞은 낱말을 찾아 쓰세요.

| 보름 | 이튿날 | 심심해서 |

☐☐☐ 감기가 심하게 걸려 집밖에 나가지 못하였다. 어머니는 아

<small>어떤 일이 있은 그다음의 날</small>

픈 나를 위해 ☐☐ 동안 담가 두신 레몬청을 꺼내어 따뜻한 물에 타

<small>열닷새 동안</small>

주셨다. 집에만 있는 것이 ☐☐☐☐ 반려견 몽몽이와 함께 공원을

<small>하는 일 없이 지루하고 재미없어</small>

산책하였다. 상쾌한 공기를 맡으며 걸으니 감기가 싹 나은 것 같다.

● 다음 글을 읽고, 물음에 답하세요.

어느 날, 동물 나라 임금이 돼지와 토끼와 사슴한테 흙을 주며 말하였습니다.

"애들아, 이 흙은 아픈 상처를 치료할 수 있는 신기한 흙이란다. 이 신기한 흙으로 그릇을 빚어 주지 않겠니? 가장 아름다운 그릇을 빚어 주면 상을 주마."

동물들은 이튿날부터 열심히 그릇을 빚기 시작하였습니다. 그리고 그릇을 다 빚자 임금에게 가지고 갔습니다. 누가 상을 받는지 보려고 다른 동물들도 함께 갔습니다.

임금은 그릇들을 찬찬히 살펴보았습니다. 그러다가 사슴이 만든 그릇을 보고 고개를 갸우뚱하였습니다. 이 모습을 본 아기 다람쥐가 웃으며 말하였습니다.

㉠"하하하, 구멍 난 그릇이야. 바닥에 구멍이 뻥 뚫렸잖아."

모두 웃음을 터뜨렸습니다.

㉡"사슴아, 너는 어찌하다가 그릇에 구멍이 났느냐?"

㉢"임금님, 저는 친구를 도와주고 싶었습니다."

사슴이 고개를 숙이고 대답했습니다. 그때 염소가 앞으로 나서며 말했습니다.

"임금님, 저는 다리를 다쳐서 보름 동안이나 꼼짝하지 못하였습니다. 이 소식을 들은 사슴이 자기가 빚던 그릇의 바닥을 떼어 저에게 가지고 왔습니다. 그리고 제 아픈 다리에 발라 주었습니다. 그래서 사슴의 그릇에 구멍이 생겼습니다."

염소의 말을 듣고 임금은 매우 기뻐하였습니다.

(㉣   )

1 동물 나라 임금이 동물들에게 준 것은 무엇인가요? (　　　)

① 먹으면 아픔이 사라지는 약

② 세상에서 가장 아름다운 그릇

③ 머리에 쓰면 벗겨지지 않는 왕관

④ 아픈 상처를 치료할 수 있는 신기한 흙

2 임금이 사슴이 만든 그릇을 보며 고개를 갸우뚱한 까닭은 무엇인가요?

(　　　)

① 그릇에 구멍이 나서

② 그릇이 너무 작아서

③ 그릇 모양이 아니어서

④ 자신이 원하는 그릇이어서

3 ㉠~㉢을 실감 나게 읽을 때 힘없는 목소리가 어울리는 것을 찾아 기호를 쓰세요.

(　　　　　　　)

> 🖐 **인물의 행동 상상하기** 염소가 한 말을 듣고 매우 기뻐한 임금의 모습에서 임금이 어떠한 행동을 했을지 상상할 수 있습니다.

인물의 말과
행동 상상하기

4 ㉣에 들어갈 동물 나라 임금이 할 행동을 바르게 상상한 것을 찾아 ○표 하세요.

❶ 임금은 사슴에게 큰 상을 내렸습니다. (　　　)

❷ 임금은 염소에게 벌을 주었습니다. (　　　)

● 다음 글을 읽고, 물음에 답하세요.

어느 날 오후, 엄마와 아빠는 밭을 매러 가시고 돌이가 혼자서 집을 봅니다.

"아이, 심심해."

돌이가 토끼장 문을 엽니다. 토끼들이 신이 나서 깡충깡충 뛰어나옵니다. 외양간 빗장을 풀자, 소들도 신이 나서 껑충껑충 뛰어나옵니다.

토끼들이 배추밭으로 깡충깡충 뛰어갑니다. 토끼들이 배추를 오물오물 맛있게 먹습니다.

"안 돼. 빨리 돌아와."

"음매, 음매."

소들이 보리밭으로 껑충껑충 뛰어갑니다. 소들이 보리를 우적우적, 우물우물 먹습니다.

"(㉠   )"

돌이가 발을 동동 구릅니다.

"심심해서 그랬는데…….."

인물의 말과
행동 상상하기 **5** ㉠에 들어갈 돌이가 할 말을 바르게 상상한 것은 무엇인가요? (   )

① 많이 먹으렴.   ② 보리는 맛이 없어.

③ 토끼들과 같이 먹어야 해.   ④ 어유, 그걸 먹으면 어떻게 해?

오늘 독해는?

5문제 중   개를 맞혔어요!

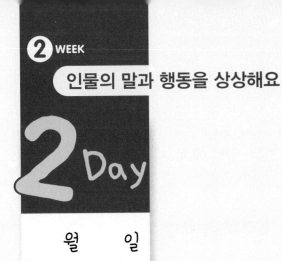

2 Day

월   일

수탉과 돼지

다음 글을 읽으며, 빈칸에 알맞은 낱말을 찾아 쓰세요.

| 수탉 | 칭찬 | 도와주라고 |

나는 가족과 함께 시골 친척집에 놀러 갔어요. 그곳에는 사촌 형이 키우

는 오리와 ☐☐이 있어요. 아빠께서 사촌 형을 ☐☐☐☐☐
닭의 수컷   남을 위하여 애써 주라고

하셔서 나는 오리의 먹이를 챙겨 주었어요. 그 모습을 본 큰아버지께서 껄

껄 웃으시며 ☐☐해 주셨어요.
좋은 점이나 훌륭한 점을 높이 평가하여 하는 말

● 다음 글을 읽고, 물음에 답하세요.

하늘 나라에 돼지와 수탉이 살고 있었습니다. 돼지는 수탉에게 자신의 예쁜 코를 자랑하며 잘난 척하였습니다.

"수탉아, 너, 내 코보다 더 예쁘게 생긴 코 본 적 있어?"

"아니, 못 봤어. 네 코는 정말 예뻐."

마음씨 착한 수탉은 돼지가 물어볼 때마다 칭찬을 해 주었습니다.

어느 날, 하늘 나라의 임금님이 땅 위의 사람들을 도와주라고 돼지와 수탉을 땅으로 내려보냈습니다. 마음씨 착한 수탉은 걱정이 되었습니다.

'사람들을 어떻게 도와줄까?'

하지만 잘난 척하는 돼지는 (㉠   )

"치. 이렇게 잘생긴 나더러 사람들의 일이나 도와주라고?"

마음씨 착한 수탉은 사람들을 도와줄 일을 찾아 나섰습니다. 시계가 없어서 아침이 된 것을 모르는 사람들이 늦잠을 자는 모습을 본 수탉은 결심하였습니다.

"그래, 바로 이거야. 내가 아침마다 사람들을 깨워 주는 거야. 그럼 늦잠을 자는 일이 없을 테니까."

수탉은 사람들을 도울 수 있게 되어 기뻐하였습니다.

1 이 글에서 다음과 같은 성격을 가진 인물을 찾아 ○표 하세요.

> 자기만 생각하고 잘난 체를 잘한다.

1 수탉 ( )

2 돼지 ( )

3 임금님 ( )

2 하늘 나라 임금님이 수탉과 돼지를 땅으로 내려보낸 까닭은 무엇인가요?

( )

① 사람들을 도와주라고

② 하고 싶은 일을 찾으라고

③ 사람들과 행복하게 지내라고

④ 동물들이 땅에서 살 수 있는지 알아보라고

인물의 말투 짐작하기 말투는 말을 하는 버릇이나 모습으로, 말투로 인물의 성격을 짐작해 볼 수 있습니다. ㉠ 뒤에 나온 돼지가 한 말을 통해 돼지가 어떤 말투로 말했을지 짐작해 봅니다.

인물의 말과
행동 상상하기 **3** ㉠에 들어갈 돼지의 말투로 알맞은 것은 무엇일까요? ( )

① 축하하였습니다.

② 칭찬하였습니다.

③ 즐거워하였습니다.

④ 불평을 하였습니다.

4 수탉이 결심한 것으로 알맞은 것을 찾아 ○표 하세요.

❶ 아침마다 사람들을 깨워 주는 것 ( )

❷ 사람들이 잠을 많이 잘 수 있게 도와주는 것 ( )

이튿날부터 수탉은 해가 뜨기 시작할 때 얼른 지붕에 올라가 노래를 불렀습니다.

㉠"꼬끼오! 꼬끼오!"

사람들은 아침을 알려 준 수탉에게 고마워하였습니다.

그런데 돼지는 일을 하는 것이 싫어서 쿨쿨 잠만 자며 놀기만 하였습니다.

그러던 어느 날, 하늘 나라의 임금님이 돼지와 수탉을 불러서 수탉에게 멋진 왕관을 머리에 씌워 주었습니다. 날마다 쿨쿨 잠만 잔 돼지에게는

㉡"너처럼 게으른 녀석에게는 그 예쁜 코가 어울리지 않아!"

하며 돼지의 코를 꾹 눌러서 납작하게 만들어 버렸습니다.

㉢"아이고, 내 코, 내 코가 이렇게 되다니! 임금님, 제가 잘못했으니 한 번만 용서해 주세요."

인물의 말과
행동 상상하기 **5** ㉠~㉢을 읽을 때 후회하는 목소리가 어울리는 것을 찾아 기호를 쓰세요.

(   )

5문제 중   개를 맞혔어요!

❶꼭 필요해
❷놀부의 제비집 찾기

다음 글을 읽으며, 빈칸에 알맞은 낱말을 찾아 쓰세요.

연주회	공손하게	주목

동생과 마을 축제가 열리는 회관으로 갔어요. 그곳에서 마을 어르신들이

직접 ☐☐☐ 를 하시는 모습을 보았어요. 마을 어르신들은 많은 사람
　　　음악을 연주하여 들려주는 일

의 ☐☐ 을 받았어요. 모든 마을 행사가 끝나고 동생과 나는 마을 어르
　마음이 끌려 관심을 가지는 일

신들을 찾아가 ☐☐☐☐ 인사를 하였어요. 어르신들은 인자하게 웃
　　　　말이나 행동이 겸손하고 예의 바르게

으시면서 동생과 나의 머리를 쓰다듬어 주셨어요.

● 다음 글을 읽고, 물음에 답하세요.

'나'는 콘트라베이스예요. 음악 연주회가 끝났지만 우울한 마음에 한쪽 구석에서 슬퍼하고 있어요.

그때, 친구인 바이올린과 피아노가 다가와 왜 그러냐며 물었어요.

"난 왜 이렇게 무거운 소리만 나는 거지? 연주회에서 주목받지도 못하고 말이야."

이 말을 들은 바이올린과 피아노는 나에게 말했어요.

"아니야, 넌 우리가 낼 수 없는 소리를 내고 있어."

"그 소리는 연주회에 꼭 필요한 소리라고."

친구들의 위로도 소용 없었어요.

"난 너희들이 부러워. 바이올린은 높은 음에 가장 아름다운 소리를 낼 수 있고, 피아노는 연주회를 이끌어 가잖아."

이 말을 들은 친구들은 미소를 지으며 말했어요.

"제 아무리 우리가 연주를 잘한다고 해도, 네가 없으면 전체적으로 아름다운 연주회가 될 수 없어."

"맞아, 누구에게나 밖으로 보이지 않는 아름다운 재주가 있거든."

나는 친구들의 따뜻한 마음에 환히 웃을 수 있었어요.

1 '내'가 슬퍼한 까닭은 무엇인가요? (   )

① 더 이상 연주회에 나갈 수 없게 되어서
② 친구들이 무거운 소리가 난다고 놀려서
③ 연주회에서 주목받지 못한다고 생각하여서
④ 자신 때문에 연주회를 망쳤다고 생각하여서

2 '나'는 바이올린의 어떠한 점을 부러워하였나요? (   )

① 연주회를 이끌어 가는 점

② 많은 사람에게 관심을 받는 점

③ 가벼워서 편하게 움직일 수 있는 점

④ 높은 음에 가장 아름다운 소리를 낼 수 있는 점

3 친구들이 '나'를 위로한 말로 알맞은 것은 '예', 알맞지 않은 것은 '아니요' 에 ✓ 표 하세요.

	예	아니요
❶ 우리가 낼 수 없는 소리를 낼 수 있다.	☐	☐
❷ 눈에 잘 띄어서 어디에서나 잘 보일 수 있다.	☐	☐
❸ 누구에게나 밖으로 보이지 않는 아름다운 재주가 있다.	☐	☐

인물의 표정 상상하기 연주회가 끝났을 때의 '나'의 마음과 친구들의 말을 듣고 난 뒤의 '나'의 마음을 살펴보면 '나'의 표정이 어떠했을지 상상할 수 있습니다.

인물의 말과
행동 상상하기

4 이 글에서 '나'의 표정이 어떻게 바뀌었을지 보기 에서 알맞은 표정을 찾아 기호를 쓰세요.

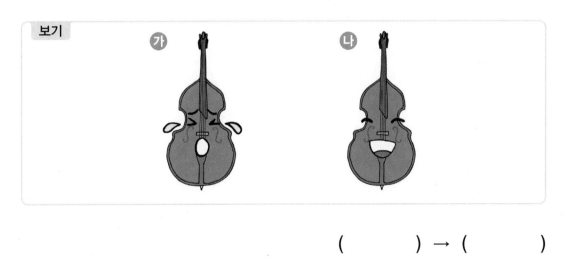

(   ) → (   )

놀부는 동생 흥부가 부자가 되었다는 소문을 들었습니다. 놀부는 샘이 나서 흥부네 집으로 달려갔습니다.

"네 이놈, 흥부 어디 있느냐?"

"형님, 어서 오십시오."

흥부는 형님을 공손하게 맞이하였습니다.

"네 이놈! 네가 어떻게 부자가 되었지?"

놀부는 소리를 버럭 질렀습니다.

"지난해에, 부러진 제비 다리를 정성껏 고쳐 주었어요. 그랬더니 제비가 박씨 하나를 물어다 주었어요. 봄에 그 박씨를 심어 가을에 박을 타 보니, 박 안에서 온갖 보물이 나왔어요."

"그래? 그럼 나도 얼른 제비 다리를 고쳐 주고 보물을 얻어야겠다."

5 **놀부가 흥부네 집에 찾아간 까닭은 무엇인가요? (   )**

① 흥부에게 귀한 박씨를 얻기 위해서

② 흥부가 부자가 되었다는 소문을 들어서

③ 흥부 집에 제비가 많다는 사실을 알게 되어서

④ 흥부에게 제비를 잡아 달라고 부탁하기 위해서

오늘 독해는?

5문제 중   개를 맞혔어요!

4 Day

월   일

❶ 악어와 악어새
❷ 꼬마

다음 글을 읽으며, 빈칸에 알맞은 낱말을 찾아 쓰세요.

훌쩍훌쩍	잔뜩	노려보면

민수의 돼지 저금통은 어느새 동전으로 ☐☐ 채워졌어요. 민수는 그 돈
　　　　　　　　　　　　　　　　　　　빈틈이 없을 정도로 가득

으로 변신 로봇 장난감을 샀어요. 어느 날, 동생이 변신 로봇 장난감을 가

지고 놀다가 망가뜨렸어요. 민수는 화난 표정으로 동생을 쳐다보았는데 동

생은 엄마 뒤에 숨어서 "☐☐☐☐ 어쩔 건데?" 하며 약을 올리지 뭐
　　　　　　　미움이 담긴 마음으로 쳐다보면

예요. 엄마는 그런 동생을 꾸중하셨고, 동생은 ☐☐☐☐ 울었어요.
　　　　　　　　　　　　　　　　흐느껴 우는 소리를 흉내 내는 말

● 다음 글을 읽고, 물음에 답하세요.

아주 작은 새 한 마리가 하늘을 날며 생각했어요.

"난 날개가 작아서 멀리 날 수도 없고, 먹을 것을 구할 수도 없어."

지친 새는 물 웅덩이 근처의 바위에 앉아 잠시 쉬기로 했어요.

바로 그때였어요. 바위가 흔들흔들 움직이는 거예요. 으앗! 그것은 바위가 아니라 악어의 등이었어요.

새는 이제 죽었구나 하고 생각하면서 눈을 꼭 감아 버렸어요. 그런데 눈을 살짝 떠 보니까, 덩치 큰 악어가 훌쩍훌쩍 울고 있는 게 아니겠어요?

"엉엉! 아이구, 이빨 아파. 이빨 사이에 뭐가 잔뜩 껴서 너무 아파."

새는 용기를 내서 악어에게 말했어요.

"손가락으로 뽑아 내면 되잖아."

"내 손은 너무 짧고 커서 들어가지도 않아. 아이구, 내 이빨!"

그러다가 갑자기 좋은 생각이 난 악어는 울음을 멈추고 새에게 말했어요.

"너는 몸집도 작고 부리도 뾰족하니까 내 입에 들어와서 청소 좀 해 주지 않을래?"

새는 (㉠   )

"뭐라고? 그러다가 그 날카로운 이빨로 나를 잡아먹으려는 거지?"

"아냐 아냐. 내 이빨을 청소해 주면 그 은혜는 절대로 잊지 않을게."

악어는 입을 '아' 하고 크게 벌렸어요.

새는 악어의 입 속으로 들어가 이빨에 낀 음식물을 하나하나 다 파 먹었어요. 음식물들이 다 없어지자 악어가 말했어요.

"고마워. 이제 하나도 안 아파. 이 은혜를 어떻게 갚지?"

"고맙긴 뭐. 사실은 나도 고마워. 네 덕분에 이렇게 배가 부른걸!"

1 다음 빈칸에 들어갈 알맞은 말을 이 글에서 찾아 쓰세요.

> 작은 ❶ ☐ 은/는 ❷ ☐☐ 에게 잡아먹히는 줄 알고 겁이
>
> 나서 눈을 꼭 감아 버렸다.

2 악어가 운 까닭은 무엇인가요? (   )

① 주변에 마실 물을 찾지 못해서

② 등에 앉은 새가 부리로 쪼아서

③ 음식을 너무 많이 먹어 배가 아파서

④ 이빨 사이에 무언가 잔뜩 낀 것이 너무 아파서

> 👉 **인물의 행동 상상하기** 입속에 들어와 음식물을 청소해 달라는 악어의 말을 듣고 새가 한 말에서 새가 어떠한 행동을 하였을지 상상할 수 있습니다.

인물의 말과
행동 상상하기

3 ㉠에 들어갈 새의 행동으로 알맞은 것은 무엇인가요? (   )

① 아파하며 울었어요.

② 웃으면서 대답했어요.

③ 깜짝 놀라 소리쳤어요.

④ 따뜻하게 보살펴 주었어요.

4 새에 대한 악어의 마음으로 알맞은 것은 무엇인가요? (   )

① 고마운 마음   ② 두려운 마음

③ 그리운 마음   ④ 귀찮은 마음

● 다음 글을 읽고, 물음에 답하세요.

나는 키가 아주 작다. 그래서 친구들은 나를 '꼬마'라고 부른다. 작은 키 때문에 동네에서 나보다 나이 어린 동생들도 나를 형이라고 부르지 않는다. 그럴 때 가장 기분이 나쁘다.

어느 날, 우리 반에서 키가 가장 큰 형우가 내 뒤를 따라왔다.

"꼬마야!"

나는 돌아서서 주먹을 불끈 쥐고 형우를 노려보았다.

"어, 꼬마가 노려보네. 노려보면 어쩔 건데?"

"내 이름이 있는데, 왜 나를 꼬마라고 놀려?"

형우를 한 대 때려 주고 싶었다. 하지만, 나는 꾹 참고 집으로 돌아왔다.

아버지께 형우와 있었던 일을 말씀드렸다. 아버지는 나의 이야기를 다 들으시고 빙그레 웃으셨다.

"그게 멋있는 거란다."

아버지의 말씀을 듣자 마음이 조금 풀렸다.

5 '나'에 대한 설명으로 알맞지 <u>않은</u> 것은 무엇인가요? (　　　)

① 친구들은 '나'를 '꼬마'라고 놀린다.

② '나'는 키가 작다고 놀린 형우를 때렸다.

③ '나'는 형우와 있었던 일을 아버지께 말씀드렸다.

④ '나'는 어린 동생들이 '나'를 형이라고 부르지 않으면 기분이 나쁘다.

오늘 독해는?

5문제 중 　　 개를 맞혔어요!

5 Day

월   일

❶ 괘종시계와 뻐꾸기시계
❷ 설문대 할망

다음 글을 읽으며, 빈칸에 알맞은 낱말을 찾아 쓰세요.

괘종시계	제주도	흉내

우리 가족은 내일 ☐☐ 여행을 가요. 너무 기대가 되어서 밤잠을
우리나라에 있는 가장 큰 섬으로 유명한 관광지임.

설쳤지요. 다른 날 같았으면 거실에 있는 ☐☐☐ 의 소리가 시끄
시간마다 종이 울리는 시계로 보통 추가 있으며 벽에 걸어 둠.

러워서 잠을 못 잔다고 투덜거릴 텐데 오늘은 그 소리마저 아름답게 들렸

어요. 나도 모르게 '뎅, 뎅, 뎅.' ☐☐ 를 냈어요. 가족과의 여행은 언제
남이 하는 말이나 행동을 그대로 옮기는 짓

나 설레고 좋아요.

● 다음 글을 읽고, 물음에 답하세요.

(가) "뎅, 뎅, 뎅"

'뻐꾹, 뻐꾹, 뻐꾹.'

괘종시계와 뻐꾸기시계가 서로 자기의 소리를 뽐내었습니다. 그런데 뻐꾸기시계는 괘종시계의 소리 때문에 자기의 소리가 잘 들리지 않는다고 생각했습니다. 뻐꾸기시계는 속상하였습니다.

"괘종시계야, 너는 왜 그렇게 시끄러운 소리를 내니?"

뻐꾸기시계가 말하였습니다.

"그러는 너는 뻐꾸기도 아니면서 왜 뻐꾸기 흉내를 내니?"

이 말을 듣자, 뻐꾸기시계도 화가 났습니다.

(나) '뎅, 뎅, 뎅, 뎅.'

'뻐꾹, 뻐꾹, 뻐꾹, 뻐꾹.'

네 시가 되었습니다. 송이가 방문을 열고 거실로 나왔습니다.

"영수를 만나려면 서둘러야겠네. 얘들아, 시각을 알려 주어서 고마워."

송이가 괘종시계와 뻐꾸기시계를 보며 말하였습니다.

'시각을 알려 주어서 고맙다고? 우리가 시각을 정확하게 알려 주니까 송이가 고마워하는구나!'

1 뻐꾸기시계가 속상해한 까닭은 무엇인가요? (   )

① 뻐꾸기 흉내를 낸다고 송이가 놀려서

② 괘종시계가 자기보다 더 잘 보이는 곳에 있어서

③ 송이가 괘종시계가 알려 주는 시각을 더 좋아하여서

④ 괘종시계의 소리 때문에 자기 소리가 잘 들리지 않아서

2 (가)에서 뻐꾸기시계와 괘종시계의 표정으로 알맞은 것은 무엇인가요?

( )

① 슬픈 표정   ② 행복한 표정

③ 화가 난 표정   ④ 당황스러운 표정

3 송이가 괘종시계와 뻐꾸기시계에게 고마워한 것은 무엇인지 빈칸에 들어 갈 알맞은 말을 쓰세요.

| | 을/를 정확히 알려 주는 것

인물의 행동 상상하기 글 뒤에 이어질 인물의 행동을 상상하기 위해서는 앞의 내용과 관련 있는 내용인지 생각해야 합니다. 괘종시계와 뻐꾸기시계가 송이의 말을 듣고 무엇을 깨달았는지 살펴봅니다.

인물의 말과
행동 상상하기

4 이 글에 이어질 괘종시계와 뻐꾸기시계의 행동으로 알맞은 것을 찾아 ○ 표 하세요.

1 괘종시계와 뻐꾸기시계는 서로 다툰 것을 후회하여 더 이상 싸우지 않고 시각을 정확히 알려 주기 위해 노력하였다.

( )

2 괘종시계와 뻐꾸기시계는 서로 송이에게 잘 보이기 위해 더 큰 소리를 내며 자신들의 소리를 뽐냈다.

( )

● 다음 글을 읽고, 물음에 답하세요.

까마득한 옛날 일이야. 어디선가 큰 할머니가 바닷물을 철철 일으키며 남쪽 제주도에 건너왔어. 키가 얼마나 큰지, 남해 바다 깊은 물도 겨우 무릎에 닿았대. 이 할머니가 바로 설문대 할망이야.

그때만 하여도 제주도는 그냥 편평한 섬이었어. 그래서 설문대 할망은 앉아서 쉴 만한 산을 하나 만들기로 하였지. 넓은 치마폭에다 흙을 가득 퍼 담아 제주도 한가운데에 차곡차곡 쌓았어. 그렇게 하여 한라산이 생겼단다. 산을 만들고 보니 산꼭대기가 뾰족하여 앉기가 불편하였어. 할망은 손으로 산꼭대기 흙을 퍽퍽 퍼내서 앉기 좋게 만들었지. 그것이 바로 백록담이야.

5 설문대 할망이 제주도 한가운데에 흙을 차곡차곡 쌓은 까닭은 무엇인가요? (　　)

① 바람을 막아 줄 담을 쌓고 싶어서
② 멋지고 큰 산을 하나 만들고 싶어서
③ 앉아서 쉴 만한 산을 만들고 싶어서
④ 사람들이 큰 산을 만들어 달라고 부탁하여서

오늘 독해는?

5문제 중　　　개를 맞혔어요!

1 인물이 처한 상황을 살펴보면 인물이
할 말과 행동을 떠올릴 수 있다.

인물의
말과 행동을
상상하는
방법

2 인물의 성격으로 인물의 말과 행동을
상상할 수 있다.

3 인물의 마음을 담아 인물의 말이나
행동을 흉내 내어 본다.

인물이 어떤 말과 행동을 했을지 상상하면
인물에 대해 더 잘 이해할 수 있어요.

윤 첨지: ⑩먼동이 트는군. (나가면서)

(노어부를 보고) 사람 삼키더니 물결이 얼음판 같아졌지. 자네 한 잔
~~비나 하게. 상엿집에~~

등장인물에 대한 이해

37. 위 글의 등장인물에 대한 이해로 적절한 것은?

① '복조'와 '복실'은 평소에 친했던 이웃이다.

② '석이'는 형의 ~~~~

③ '윤 첨지'는 '~~

④ '분 어미'는 친~~

수능에는 인물의 말이나 행동을 바탕으로 등장인물에 대해
잘 이해하고 있는지 묻는 문제가 나와요.

⑤ '복실'은 행복하기만 했던 어린 시절을 그리워하고 있다.

WEEK **3**

느낌과 분위기를
살려 읽어요

소리나 모양을 표현해 보아요

나무에 감이 열렸어요. 갑자기 비가 내리자 강아지가 짖어요. 이 장면에 어울리는 소리나 모양을 흉내 내는 말을 떠올려 보았어요. 흉내 내는 말을 넣어 표현하니 느낌과 분위기가 어떻게 달라지나요?

'멍멍'은 개가 짖는 소리를, '주룩주룩'은 비가 내리는 소리나 모양을, '주렁주렁'은 열매가 많이 달려 있는 모양을 **흉내 내는 말**이에요. 글에 '멍멍', '주룩주룩', '주렁주렁'과 같은 말이 나오면 느낌과 분위기가 **더 생생하게** 느껴져요.

자, 그럼 글에 어떤 흉내 내는 말이 쓰였는지 알아보고, **느낌과 분위기를 살려** 글을 읽어 볼까요?

❶ 곰과 여우
❷ 오리

다음 글을 읽으며, 빈칸에 알맞은 낱말을 찾아 쓰세요.

풍덩	골짜기	성큼성큼

햇살이 뜨거운 어느 여름 날, 숲속 친구인 다람쥐와 청솔모가 물을 마시

기 위해 ☐☐☐ 로 갔어요. 그곳에는 너구리 아저씨가 냇물에
　　　　산과 산 사이에 움푹 패어 들어간 곳

☐☐ 몸을 빠뜨리고 더위를 식히고 있었어요. 저만치에서 곰 할아버지
크고 단단한 물건이 물에 떨어지거나 빠질 때 무겁게 나는 소리

도 물을 마시기 위해 이곳으로 ☐☐☐☐ 걸어오네요. 실컷 물을 마
　　　　　　　　　　　　　발이나 다리를 잇따라 높이 들어 크게 걸음을 내딛는 모양

신 다람쥐와 청솔모는 곰 할아버지께 공손히 인사하고 집으로 돌아갔어요.

곰이 골짜기에서 가재를 잡고 있습니다. 꾀가 많은 여우가 곰에게 ㉠슬금슬금 다가갑니다.

"곰아, 저 나무에 있는 꿀을 따서 나눠 먹지 않을래?"

"그래."

곰이 여우의 뒤를 성큼성큼 따라갑니다.

'헤헤. 맛있겠다. 나 혼자 먹어야지.'

여우가 꾀를 냅니다.

"곰아, 네가 나무 위로 올라가 벌집을 따서 던져. 그러면 내가 받을게."

곰이 살금살금 나무 위로 올라갑니다. 그리고 꿀이 가득 들어 있는 벌집을 따서 아래로 던집니다.

여우가 벌집을 받아 들고는 도망을 칩니다. 벌들이 여우를 쫓아가며 침을 콕콕 쏘아 대는 바람에 여우의 몸이 퉁퉁 부어오릅니다. 여우가 (㉡   ) 소리 내어 웁니다.

인물의 모습을 나타내는 흉내 내는 말 흉내 내는 말은 인물이 내는 소리나 모습을 나타내기도 합니다. ㉠의 앞뒤 문장을 살펴보면 무엇을 흉내 내는 말인지 알 수 있습니다.

느낌과 분위기
살려 읽기

1 ㉠은 무엇을 흉내 내는 말인가요? (   )

① 곰이 우는 소리

② 여우가 걷는 모습

③ 곰이 가재를 잡는 모습

④ 여우가 곰을 부르는 소리

2 곰은 왜 여우의 뒤를 따라갔나요? ( )

① 가재를 잡으려고

② 여우를 골려 주려고

③ 여우와 함께 꿀을 따러 가려고

④ 가재를 여우와 함께 나누어 먹으려고

3 이 글에서 알 수 있는 여우의 성격은 어떠한가요? ( )

① 욕심이 많다.

② 배려심이 많다.

③ 수줍음이 많다.

④ 잘난 체를 잘한다.

느낌과 분위기
살려 읽기

4 ㉡에 들어갈 흉내 내는 말로 알맞은 것을 두 가지 찾아 ○표 하세요.

| ❶ 엉엉 ( ) | ❷ 하하 ( ) |
| ❸ 윙윙 ( ) | ❹ 훌쩍훌쩍 ( ) |

● 다음 시를 읽고, 물음에 답하세요.

둥둥 엄마 오리
못물˚ 위에 둥둥

동동 아기 오리
엄마 따라 동동

풍덩 엄마 오리
못물 속에 풍덩

퐁당 아기 오리
엄마 따라 퐁당.

• 못물: 논에 모를 내는 데 필요한 물

느낌과 분위기
살려 읽기 **5** **엄마 오리가 못물 속에 빠지는 소리를 흉내 내는 말은 무엇인가요?**

( )

① 퐁당 ② 풍덩
③ 동동 ④ 둥둥

오늘 독해는?

5문제 중　　　개를 맞혔어요!

❶ 청개구리 거꾸리
❷ 그만뒀다

다음 글을 읽으며, 빈칸에 알맞은 낱말을 찾아 쓰세요.

버릇	꿀밤	시늉

수진이는 자기가 하고 싶은 놀이만 하려는 ☐☐이 있어요. 오늘도 수

오랫동안 자꾸 반복하여 몸에 익어 버린 행동

진이는 공깃돌 놀이를 하는 친구들에게 고양이가 담을 넘는 ☐☐을 하

어떤 모양이나 움직임을 흉내 내는 행동

며 맞혀 보라고 했어요. 자기 멋대로인 수진이에게 화가 난 미진이가

☐☐을 때렸어요. 놀란 수진이의 표정을 보자 미진이가 자신의 잘못을

주먹 끝으로 가볍게 머리를 때리는 행동

깨닫고 바로 수진이에게 진심을 담아 사과를 했답니다.

● 다음 글을 읽고, 물음에 답하세요.

청개구리 거꾸리와 궁금이가 살았습니다. 거꾸리는 무엇이든지 거꾸로 말하는 버릇이 있고, 궁금이는 무엇이든지 물어보는 버릇이 있었습니다.

거꾸리가 달콤한 사탕을 먹고 있었습니다. 거꾸리는 달콤한 사탕을 먹으면서도 몹시 쓴 표정을 지으며 말하였습니다.

"(　　　　　　　　　㉠　　　　　　　　　　)"

궁금이가 물어보았습니다.

"정말 사탕이 쓰니?"

길을 가던 거꾸리가 개미를 보았습니다. 거꾸리는 개미를 들면서 무거운 물건을 집어 드는 시늉을 하여 말하였습니다.

㉡"어유, 무거워."

"뭐, 개미가 무겁다고?"

궁금이가 거꾸리에게 물어보았습니다.

개미를 내려놓고 길을 가던 거꾸리가 갑자기 넘어졌습니다. 돌부리에 발이 걸렸기 때문입니다.

㉢"아야! 아파라."

이 말을 들은 궁금이가 말하였습니다.

"어, 아프다는 말은 거꾸로가 아니네."

1 다음은 이 글에 나오는 인물 중에서 누구의 버릇인지 쓰세요.

> 무엇이든지 물어보는 버릇을 가지고 있습니다.

(　　　　　　　)

흥내 내는 말이 들어간 문장의 특징 '하하하', '뒤뚱뒤뚱'과 같이 소리나 모양을 표현한 말을 흥내 내는 말이라고 합니다. 흥내 내는 말을 사용하면 소리나 모양을 더욱 실감 나게 나타낼 수 있습니다. **가~다** 중에서 실감 나게 나타낸 문장을 찾아봅니다.

느낌과 분위기 살려 읽기 **2** 다음은 ㉠에 들어갈 수 있는 문장을 나타낸 것입니다. 흥내 내는 말을 사용한 문장을 찾아 기호를 쓰세요.

> **가.** 너무 써.
>
> **나.** 맛이 왜 이렇게 쓸까?
>
> **다.** 퉤퉤, 아이, 써.

(   )

3 거꾸리는 개미를 들면서 어떤 표정을 지었을까요? (   )

① 밝은 표정   ② 웃는 표정

③ 졸린 표정   ④ 찡그린 표정

4 이 글에서 거꾸리가 거꾸로 한 말을 찾아 ○표 하세요.

❶ ㉡ "어유, 무거워."   (   )

❷ ㉢ "아야! 아파라."   (   )

● 다음 시를 읽고, 물음에 답하세요.

신발 물어 던진
강아지 녀석
혼내 주려다
그만뒀다.

살래살래 흔드는
고 꼬리 땜에……

우유병 넘어뜨린
고양이 녀석
꿀밤을 먹이려다
그만뒀다.

쫑긋쫑긋 세우는
고 귀 땜에……

5 말하는 이가 강아지를 혼내 주려고 한 까닭은 무엇인가요? (　　　)

① 밥그릇을 던져서
② 고양이를 괴롭혀서
③ 신발을 물어 던져서
④ 우유병을 넘어뜨려서

5문제 중　　　개를 맞혔어요!

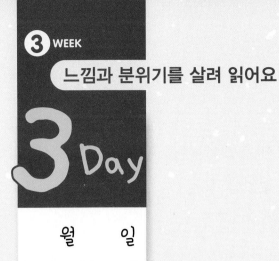

❶ 어부와 멸치
❷ 이순신 장군

다음 글을 읽으며, 빈칸에 알맞은 낱말을 찾아 쓰세요.

| 싱글벙글 | 동여매고 | 운 |

옛날에 자신은 □이 없다고 믿는 장사꾼이 살았어요. 부채를 팔면 시원

_{어떤 일이 잘 이루어지는 운수}

한 바람이 불어오고, 짚신을 팔면 비가 쏟아졌어요. 그래서 장사꾼은 맑은 날

씨에 우산을 팔기로 하고 우산들을 단단히 ⬚⬚⬚⬚ 장으로 나갔지

_{끈이나 실 따위로 두르거나 감거나 하여 묶고}

요. 그런데 맑았던 하늘에 먹구름이 끼더니 비가 쏟아졌어요. 장사꾼은

⬚⬚⬚⬚ 하며 우산을 다 팔았답니다.

_{눈과 입을 슬며시 움직이며 소리 없이 정답고 환하게 웃는 모양}

● 다음 글을 읽고, 물음에 답하세요.

바다로 나간 어부는 좋은 자리를 잡고 그물을 던져 놓았습니다. 한참 기다렸다가 그물을 올렸습니다. 하지만 그물 안에는 아무것도 없었습니다.

㉠"허허, 처음부터 빈 그물이라니. 오늘은 운이 없구나!"

어부는 다른 곳에 그물을 던졌습니다.

'고기야, 제발 많이 잡혀 다오.'

얼마쯤 시간이 지난 뒤, 어부는 다시 그물을 당겼습니다.

㉡"영차, 영차! 그물이 무거운 걸 보니 큰 고기가 많이 걸렸나 보다."

어부는 싱글벙글하며 그물을 배 위로 끌어올렸습니다.

㉢"야, 요놈들 봐라. 하하하!"

그물 안에는 멸치가 가득 들어 있었습니다.

㉣그런데 어부의 그물에 걸려든 멸치들은 바들바들 몸을 떨었습니다.

"아이고, 큰일났네. 육지로 끌려가면 꼼짝없이 죽을 텐데."

멸치들은 용기를 내어 어부를 향하여 외쳤습니다.

"어부님! 어부님! 저희를 살려 주세요."

"살려 달라고? 안 될 말이다. 난 어제도 빈손으로 돌아갔어."

"하지만, 저희를 놓아주시면 점점 자라 크게 될 게 아닙니까? 그때 잡으세요. 부탁해요, 어부님."

멸치는 간절하게 말하였습니다.

"이 넓은 바다에 너희를 놓아주면 나중에 어떻게 잡지? 지금 잡은 너희를 놓아줄 수 없어."

어부는 이렇게 말하고, 멸치를 잡아 집으로 돌아왔습니다.

1 ⊙과 ⓒ에서 어부의 마음은 어떻게 바뀌었나요? (　　　)

① 기대에 찬 마음 → 즐거운 마음

② 실망스러운 마음 → 즐거운 마음

③ 어리둥절한 마음 → 미안한 마음

④ 깜짝 놀란 마음 → 실망스러운 마음

실감 나게 읽기 인물이 한 말을 보면 인물의 마음을 짐작할 수 있어요. ⓒ에서 인물의 마음을 짐작할 수 있는 말을 찾아봅니다.

느낌과 분위기
살려 읽기
2 ⓒ을 실감 나게 읽는 방법을 바르게 말한 친구를 찾아 쓰세요.

> **수연**: 웃음소리를 흉내 내는 말인 '하하하'가 있으므로 큰 소리로 기쁘게 읽는 것이 어울려.
>
> **지민**: 어부의 말에 멸치들을 불쌍하게 생각하는 마음이 담겨 있으므로 작고 슬픈 목소리로 읽는 것이 어울려.

(　　　　　　)

느낌과 분위기
살려 읽기
3 ②에서 멸치가 몸을 바르르 떠는 모습을 흉내 내는 말을 찾아 쓰세요.

4 어부가 한 일로 알맞은 것을 두 가지 찾아 ○표 하세요.

❶ 잡은 멸치들을 놓아주었다.　　　　　　　　　　(　　　)

❷ 그물을 배 위로 끌어올렸다.　　　　　　　　　　(　　　)

❸ 고기를 잡기 위해 바다로 나갔다.　　　　　　　(　　　)

● 다음 글을 읽고, 물음에 답하세요.

이순신 장군은 젊을 때 무술 시험 도중 말을 타고 달리다가 불행히도 말에서 떨어졌습니다. 구경하던 사람들은 '저 사람이 죽었겠구나.' 하고 생각하고 있었습니다. 하지만 이순신 장군은 한 발로 일어났습니다. 그리고 곁에 있는 버드나무에서 껍질을 벗겨 부러진 다리를 동여매고 (㉠   ) 힘들게 걸어나와 사람들을 놀라게 했습니다.

느낌과 분위기
살려 읽기 **5** ㉠에 들어갈 모양을 흉내 내는 말로 알맞은 것을 찾아 ○표 하세요.

1
| 절룩절룩 |
( )

2
| 씽씽 |
( )

오늘 독해는?

5문제 중   개를 맞혔어요!

❶ 현장 체험 학습
❷ 우리 반 키 재기

다음 글을 읽으며, 빈칸에 알맞은 낱말을 찾아 쓰세요.

돗자리	대보자	씩씩하게

생일을 맞은 아리는 올해도 부모님과 할아버지 댁에 갔습니다. 마당의 큰

◻◻◻ 위에는 맛있는 음식이 가득 놓여 있었습니다. 아리는 음식을

식물의 줄기를 재료로 하여 만든 물건으로 앉거나 누울 수 있도록 바닥에 깔 수 있음.

맛있게 먹고 ◻◻◻◻ 놀았습니다. 할아버지가 아리에게 밤나무에

힘차고 튼튼하게

키를 ◻◻◻ 고 말씀하셨습니다. 아리는 일 년 전보다 한 뼘이나 더

서로 견주어 보자

컸습니다. 가족들은 무척 기뻐하였습니다.

● 다음 글을 읽고, 물음에 답하세요.

6월 7일 금요일　　날씨: 맑음

제목: 재미있는 현장 체험 학습

　오늘 감자 캐기 현장 체험 학습을 다녀왔다. 일어나자마자 가방에 도시락, 간식, 돗자리를 넣었다. 설레는 마음 때문에 엄마가 깨우지 않아도 혼자 일어나서 씩씩하게 학교에 갔다.

　현장 체험 학습 장소에 도착하여 감자 캐기를 하였다. 처음에는 힘들었는데 선생님 말씀대로 줄기를 잡고 흙을 파니 잘 캐졌다. 흙에서 꺼낸 동글동글한 감자가 신기하고 먹음직스러웠다. 오후 간식으로 엄마는 내가 캔 감자를 쪄 주셨다. ㉠우리 가족 모두 뜨거운 감자를 맛있게 먹었다.

1 이 글에 대한 설명으로 알맞지 <u>않은</u> 것은 무엇인가요? (　　　)

① 글의 종류는 일기이다.

② 글을 쓴 날의 날씨를 알 수 있다.

③ 글쓴이의 생각이 나타나 있지 않다.

④ 현장 체험 학습을 다녀온 일을 썼다.

2 글쓴이가 한 일이 무엇인지 다음 빈칸에 들어갈 알맞은 말을 이 글에서 찾아 쓰세요.

글쓴이는 현장 체험 학습 장소에 도착하여 　　　 캐기를 하였다.

느낌과 분위기 살려 읽기 3 ㉠을 흉내 내는 말을 사용하여 고쳐 쓴 것으로 알맞은 것을 찾아 ○표 하세요.

① 우리 가족 모두 뜨거운 감자를 정말 맛있게 먹었다. ( )

② 우리 가족 모두 뜨거운 감자를 호호 불며 맛있게 먹었다. ( )

> **글을 시로 바꾸어 표현하기** 글을 시로 바꾸어 표현할 때는 짧은 글을 노래하듯이 표현하는 것이 좋습니다. 흉내 내는 말을 사용하여 표현한 시는 좀 더 실감 나게 읽을 수 있습니다. **가**와 **나** 중 더 실감 나게 읽을 수 있는 시를 찾아봅니다.

느낌과 분위기 살려 읽기 4 다음은 이 글을 시로 바꾸어 표현한 것입니다. **가**와 **나** 중 더 실감 나게 읽을 수 있는 시를 찾아 기호를 쓰세요.

가	**나**
오늘은 특별한 날 현장 체험 학습 날 감자 캐자 흙을 덮은 귀여운 감자 솥에다 삶은 감자 온 가족이 맛있게 먹었다.	오늘은 특별한 날 현장 체험 학습 날 감자 캐자 / 팍팍 사르륵사르륵 흙을 덮은 / 귀여운 감자 노릇노릇 뜨끈뜨끈 솥에다 삶아서 온 가족이 맛있게 냠냠 냠냠

( )

● 다음 글을 읽고, 물음에 답하세요.

친구들과 키 재기 놀이를 하기로 하였다. 키가 비슷하다고 생각하는 친구들끼리 섰다.

"누구 키가 더 큰가 어디 한번 대보자."

선생님께서 말씀하셨다. 명수와 주미가 등을 돌려 누구 키가 더 큰지 대보았다.

"올라서면 안 된다. 발을 들면 안 된다."

친구들의 말에 명수는 들었던 발뒤꿈치를 내렸다.

지켜보시던 선생님께서 (㉠   ) 웃으며 말씀하셨다.

"똑같구나, 똑같아."

명수와 주미는 똑같이 말하였다.

"아니요, 제가 더 커요. 내일 다시 대보자."

느낌과 분위기
살려 읽기

5 ㉠에 들어갈 소리를 흉내 내는 말로 알맞은 것은 무엇인가요? (   )

① 둥둥둥

② 하하하

③ 통통통

④ 쓱쓱쓱

오늘 독해는?

5문제 중   개를 맞혔어요!

WEEK

느낌과 분위기를 살려 읽어요

5 Day

월   일

❶ 흉내 내는 말

❷ 비 오는 날

다음 글을 읽으며, 빈칸에 알맞은 낱말을 찾아 쓰세요.

고는	드르렁드르렁	말까

우리 집은 밤만 되면 부모님의 [   ] 코 [   ] 소

매우 요란하게 코를 자꾸 고는 소리   잠잘 때 거친 숨결이 콧구멍을
울려 드르렁거리는 소리를 내는

리에 동생과 나는 잠을 잘 수 없어요. 동생은 그럴 때마다 부모님을 깨울

까 [   ] 고민하지만 나는 불평하지 않아요. 왜냐하면 우리 가족을 위

어떤 일이나 행동을 하지 않거나 그만둘까

하여 열심히 일하시는 부모님의 피곤함이 콧속에 묻어나는 것 같기 때문이

에요.

● 다음 글을 읽고, 물음에 답하세요.

　　우리나라 말에는 흉내 내는 말이 많이 있습니다. 흉내 내는 말을 사용하면 어떤 점이 좋은지 알아봅시다.

　　㉠'드르렁드르렁'이라는 말을 들으면 어떤 생각이 드나요? 아저씨가 코 고는 소리를 심하게 내면서 자는 모습이 떠오르지요.

　　'색색'이라는 말을 들으면 어떤 생각이 드나요? 숨을 내쉬면서 (　　㉡　　) 가 잠을 자는 모습이 떠오르지요.

　　'콸콸'이라는 말을 들으면 어떤 생각이 드나요? 수도꼭지에서 물이 큰 소리를 내며 쏟아져 나오는 모습이 떠오르지요.

　　'조르륵'이라는 말을 들으면 어떤 생각이 드나요? 수도꼭지에서 물이 작은 소리를 내며 떨어지는 모습이 떠오릅니다.

　　다음 시를 읽어 보세요. 흉내 내는 말이 강아지의 모습을 잘 나타내고 있습니다.

㉢

1 다음 빈칸에 들어갈 알맞은 말을 찾아 ○표 하세요.

　　㉠은 매우 요란하게 코를 고는 (소리, 모양)을/를 흉내 내는 말이다.

2 ⓛ에 들어갈 알맞은 말은 무엇인가요? (   )

① 피곤한 아저씨

② 무서운 할머니

③ 힘이 센 운동 선수

④ 귀엽고 조그마한 아기

느낌과 분위기
살려 읽기

3 ㉮와 ㉯ 중 ⓒ에 들어갈 시로 알맞은 것을 찾아 ○표 하세요.

㉮	㉯
달랑달랑 / 꼬리치며 졸랑졸랑 따라오고, 졸랑졸랑 / 따라오다 발랑발랑 재주넘네 　　　　－ 문삼석, 「강아지」	쑥쑥 고개를 내밀어 드디어 만나는 / 바깥 세상 앗, 차가워! 머리 위로 떨어지는 톡톡 물방울 아주머니 아가야, / 쑥쑥 자라거라.
( )	( )

흉내 내는 말을 사용하면 좋은 점 '아기가 걷는다.'와 '아기가 아장아장 걷는다.' 두 문장의 차이점을 생각해 봅니다.

느낌과 분위기
살려 읽기

4 시나 이야기에서 흉내 내는 말을 사용하면 좋은 점은 무엇인가요? (   )

① 다양한 책을 읽을 수 있다.

② 시나 이야기를 길게 쓸 수 있다.

③ 느낌과 분위기를 살려 읽을 수 있다.

④ 이야기를 읽지 않아도 잘 이해할 수 있다.

● 다음 시를 읽고, 물음에 답하세요.

㉠조록조록 조록조록 비가 내리네.
나가 놀까 말까 하늘만 보네.

㉡쪼록쪼록 쪼록쪼록 비가 막 오네.
창수네 집에 갈래도 갈 수가 없네.

㉢주룩주룩 주룩주룩 비가 더 오네.
찾아오는 친구가 하나도 없네.

㉣쭈룩쭈룩 쭈룩쭈룩 비가 오는데
누나 옆에 앉아서 공부나 하자.

느낌과 분위기
살려 읽기
5 ㉠~㉣ 중 비가 가장 많이 내리는 소리를 흉내 내는 말을 찾아 기호를 쓰세요.

(   )

오늘 독해는?

5문제 중   개를 맞혔어요!

마무리

독해 원리 학습

흉내 내는 말 ——— '멍멍', '주렁주렁'과 같이 소리나 모양을 표현한 말을 흉내 내는 말이라고 한다.

흉내 내는 말을 넣어 문장 만들기

1 그림이나 문장의 내용을 보고 무엇을 흉내 내면 좋을지 생각한다.

3 흉내 내는 말을 넣어 문장이 자연스러운지 확인한다.

2 어떤 흉내 내는 말을 넣으면 좋을지 생각한다.

시나 이야기에 흉내 내는 말이 있으면
느낌과 분위기를 살려 읽을 수 있어요.

자앙, 느릿느릿 정성을 다해 상자들을 쌓는다. 무대 조명, 서서히 자앙에게 압축되면서 암전한다.

수능에는 글의 느낌과 분위기를 알맞게 살려 글을 읽을 수 있는지 묻는 문제가 나와요.

44. 연출자가 ㉠~㉤〇   지 않은 것은?

① 비꼬는 듯한 말투   마땅하다는 듯한 표정을 지어야 합니다.

② '자앙'은 비꼬는 듯한 말투로 ㉡을 말해야 합니다.

③ '다링'은 ㉢을 말할 때 북어 대가리를 이리저리 보면서 어리둥절한 표정을 지어야 합니다.

WEEK

4

누가 무엇을 했는지
확인해요

일요일에는 무엇을 했나요?

월요일 아침, 슬현이와 용빈이가 학교 가는 길에 만났어요. 두 사람은 일요일에 있었던 일에 대해 이야기를 나누고 있어요. 누가 무엇을 했는지 생각하며 대화를 살펴보아요.

두 사람의 대화를 통해 일요일에 슬현이는 공원에서 강아지와 산책을 하였고, 용빈이는 가족과 외식을 하였음을 알 수 있어요. 이야기를 읽을 때도 **누가 무엇을 했는지** 생각하면 **인물이 한 일이나 중요한 사건** 같은 주요 내용을 파악할 수 있어요.

자, 그럼 누가 무엇을 했는지 확인하며 글을 읽어 볼까요?

실전 독해 훈련

❶여우와 두루미
❷동물원에서 일어난 일

다음 글을 읽으며, 빈칸에 알맞은 낱말을 찾아 쓰세요.

이웃	도저히	실컷

☐☐ 에 사시는 할머니께서 상추를 가득 들고 오셨습니다. 그날 저녁

가까이 사는 집. 또는 그런 사람

우리 가족은 맛있는 삼겹살을 상추에 싸서 ☐☐ 먹었습니다. 아버지께

마음에 하고 싶은 대로 한껏

서 후식으로 수박을 썰어 오셨는데 상추와 삼겹살을 너무 많이 먹어서인지

☐☐☐ 수박은 먹을 자신이 없었습니다.

아무리 하여도

● 다음 글을 읽고, 물음에 답하세요.

여우와 두루미는 이웃에 살았습니다.

"두루미야, 오늘 저녁 식사에 초대할게."

여우의 말에 ㉠두루미는 무척 신이 났습니다.

"정말? 고마워!"

여우의 집은 맛있는 음식 냄새로 가득하였습니다.

"두루미야, 맛있게 먹어."

두루미는 식탁을 보고 깜짝 놀랐습니다. 여우가 납작한 접시에 음식을 담아 주었기 때문입니다.

'이걸 먹으라고?'

두루미는 부리가 길어서 도저히 음식을 먹을 수 없었습니다. 두루미는 화가 나서 집으로 돌아왔습니다.

며칠 뒤, 이번에는 두루미가 여우를 초대하였습니다.

"여우야, 오늘 저녁은 우리 집에서 같이 먹을래?"

"그래, 좋아."

두루미는 주둥이가 긴 병에 음식을 담아 내놓았습니다.

"배고프지? 어서 먹어?"

"두루미야, 고마워. 자, 그럼 먹어 볼까?"

식탁에 앉은 여우가 뒷머리를 벅벅 긁었습니다.

㉡'어! 그런데 이것을 어떻게 먹는담?'

두루미는 긴 부리로 주둥이가 긴 병에 담겨 있는 음식을 맛있게 먹었습니다. 여우는 군침만 꿀꺽꿀꺽 삼키면서 두루미를 바라보고 있었습니다.

1 여우의 말에 두루미가 ㉠과 같이 신이 난 까닭은 무엇인가요? (   )

① 여우가 나들이를 가자고 해서

② 여우가 저녁 식사에 초대하여서

③ 여우가 맛있는 음식을 만들어 주어서

④ 여우가 자신의 부리가 멋있다고 칭찬해 주어서

2 두루미가 음식을 먹지 못한 까닭은 무엇인지 빈칸에 들어갈 알맞은 말을 쓰세요.

두루미는 [   ] 이/가 길어서 납작한 접시의 음식을 먹기 어

려웠기 때문이다.

> 누가 무엇을 했는지 알기 이야기에서 누가 무엇을 했는지 알기 위해서는 인물이 한 말과 행동 등을 살펴보아야 합니다. 이 글에서는 두루미가 한 행동을 통해 두루미가 한 일을 알 수 있습니다.

누가 무엇을
했는지 확인
하기

3 화가 난 두루미가 한 일은 무엇인가요? (   )

① 여우가 좋아하는 음식을 해 주었다.

② 여우에게 아주 큰 접시를 선물하였다.

③ 다시는 여우 집에 가지 않겠다고 다짐하였다.

④ 여우를 식사에 초대하여 긴 병에 음식을 담아 주었다.

4 ㉡에서 알 수 있는 여우의 마음은 무엇인가요? (   )

① 고마운 마음   ② 설레는 마음

③ 행복한 마음   ④ 당황스러운 마음

● 다음 글을 읽고, 물음에 답하세요.

은주네 반에서는 동물원으로 현장 체험 학습을 갔습니다. 은주는 평소에 보고 싶던 코끼리, 기린, 사자, 호랑이 등을 실컷 구경하였습니다. 은주가 원숭이 우리 앞으로 갔을 때였습니다. 귀여운 원숭이 한 마리가 바나나를 까서 먹고 있었습니다. 은주는 신기해서 외쳤습니다.

"야, 원숭이가 바나나를 먹고 있네."

그러자 뒤에 있던 진수가 원숭이 우리 앞으로 뛰어왔습니다.

"정말? 어디에?"

뛰어오던 진수는 그만 은주의 발을 밟고 말았습니다.

"아야, 아파!"

발을 세게 밟힌 은주는 울상이 되었습니다.

누가 무엇을
했는지 확인
하기

5 은주에게 일어난 일이 <u>아닌</u> 것은 무엇인가요? (   )

① 동물원으로 현장 체험 학습을 갔다.

② 급하게 뛰어가다가 진수의 발을 밟았다.

③ 귀여운 원숭이가 바나나를 까서 먹는 것을 보았다.

④ 평소에 보고 싶었던 코끼리, 기린, 사자, 호랑이 등을 실컷 구경하였다.

오늘 독해는?

5문제 중   개를 맞혔어요!

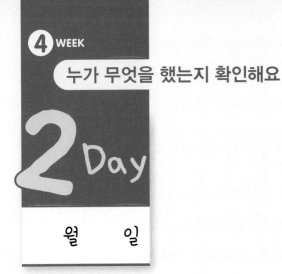

2 Day

월   일

게가 되고 싶은 새우

다음 글을 읽으며, 빈칸에 알맞은 낱말을 찾아 쓰세요.

소	쏘가리	쌍

삼촌과 진수는 [　][　] 낚시를 하기 위해 산 밑 강가로 갔어요. 삼

맑은 강에 사는 물고기로 주로 매운탕의 재료가 됨.

촌은 더 들어가면 맑은 [　]가 있는데 그곳은 위험하니 바닥과 가까운 곳

늪. 땅바닥이 우묵하게 뭉텅 빠지고 늘 물이 괴어 있는 곳

에서 낚시를 하자고 하셨어요. 낚시를 하는 도중에 소낙비가 내렸어요. 한

바탕 비가 퍼붓고 나니 산 저편에 무지개 한 [　]이 나타났어요. 삼촌과

둘씩 짝을 이룬 것

진수는 낚시도 잊은 채 쌍무지개를 한참 바라보았어요.

● 다음 글을 읽고, 물음에 답하세요.

새우 마을은 물풀이 어우러진 시원한 냇물의 가장자리°에 있습니다. 그리고 그 아래 울퉁불퉁한 바위틈에 게 동네가 있고, 깊은 소에는 붕어, 메기, 쏘가리 등 물고기들이 삽니다. 그런데 새우 마을에 흉내 내기를 좋아하는 새우가 한 마리 살고 있었습니다. 이 흉내쟁이 새우는 온갖 흉내를 다 내려고 하였습니다.

어느 날, 흉내쟁이 새우는 커다란 집게발°을 휘두르고 다니는 게가 부러웠습니다. 그러나 그게 새우로서는 흉내라도 낼 수 있는 일입니까? 그래서 새우는 용왕님께 기도를 올렸습니다.

"용왕님, 저에게 집게발을 주세요. 용왕님, 저는 게가 되고 싶습니다."

어찌나 간절히 기도를 올렸던지 용왕님은 이 흉내쟁이 새우에게 마침내 집게발 한 쌍을 달아 주었습니다.

"야호, 나도 게가 되었다!"

집게발을 단 흉내쟁이 새우는 게 동네를 찾아갔습니다.

"나도 게가 되었으니 이제 게 동네에서 살아야겠다. 어험!"

그러나 그게 아니었습니다.

"뭐라고? 이 버릇없는 놈아. 새우 주제에 어디 게 흉내를 내겠다고? 어서 물러가지 못해?"

게 동네에서 쫓겨난 새우는 다시 새우 마을로 가서 거드름을 피우기 시작하였습니다.

"어험! 이 집게발이 얼마나 멋있니? 집게발이 있는 새우는 나 하나뿐이야. 그렇다면 이제부터 나는 새우의 왕이다."

그러나 또 그게 아니었습니다.

"어디서 흉측한 집게발을 달고 와서 까부니? 이건 새우를 망신시키고, 우리 새우 마을의 명예를 더럽히는 짓이니 당장 쫓아내자!"

새우들이 들고 일어나 흉내쟁이 새우를 쫓아냈습니다.

● 가장자리: 둘레나 끝에 해당되는 부분.
● 집게발: 게, 가재 따위의 발끝이 집게처럼 생긴 발.

1 새우가 좋아하는 것은 무엇인가요? (   )

① 헤엄치기   ② 흉내 내기

③ 친구 찾기   ④ 도움 주기

2 용왕님께 기도를 올린 새우가 얻은 것은 무엇인지 쓰세요.

> **장소에 따라 인물이 한 일 알기** 이 글은 새우가 이동한 장소에 따라 일어난 일을 정리할 수 있습니다. 새우가 이동한 장소를 정리하여 그곳에서 어떠한 일을 하였는지 알아봅니다.

누가 무엇을 했는지 확인 하기

3 2에서 대답한 것을 얻은 새우가 바로 한 일은 무엇인가요? (   )

① 용왕님을 찾아갔다.

② 게 동네를 찾아갔다.

③ 새우 동네로 돌아갔다.

④ 용왕님께 감사의 마음을 전했다.

4 새우 마을에서 흉내쟁이 새우가 쫓겨난 까닭은 무엇인가요? (   )

① 새우 마을에 먹을 것이 모자라서

② 게 마을에서 자신이 왕이 되겠다고 해서

③ 흉측한 집게발을 달고 와서 새우 망신을 시켜서

④ 집게발 때문에 덩치가 커지자 같이 지내기 불편해서

게 동네에서도 새우 마을에서도 쫓겨난, 게도 새우도 아닌 흉내쟁이는 냇물 깊숙이 소를 찾아갔습니다. 그러나 이번에는 붕어, 피라미, 송사리, 버들치, 쏘가리, 메기 등 물고기란 물고기는 모두 모여서 흉내쟁이를 놀려댔습니다. 한편에서 "저건 게다!" 하면 또 한편에서 "아니, 저건 새우다!" 하였습니다. 물고기들은 어느덧 합창을 하듯 외쳐댔습니다.

"게다!"

"새우다!"

"게새우!"

　이 말이 점점 되풀이되다 보니 '게새우'가 '게재우'가 되고 조금 뒤에는 '게재'가 되더니 마침내는 '가재'로 바뀌었습니다. 흉내쟁이는 몹시 부끄러웠습니다. 눈을 꼭 감고 슬금슬금 뒷걸음치다가 마침내는 산골 도랑의 돌 밑으로 숨어들고 말았습니다. 그 뒤부터 가재가 된 흉내쟁이는 다시 냇물에 나타나지 않았습니다.

5 물고기들이 흉내쟁이 새우를 놀린 까닭은 무엇인가요? (　　　)

① 집게발이 너무 못생겨서

② 게인지 새우인지 알 수 없어서

③ 땅속에서 나오려고 하지 않아서

④ 딱딱한 껍질 때문에 헤엄을 잘 치지 못해서

오늘 독해는?

5문제 중 　　　개를 맞혔어요!

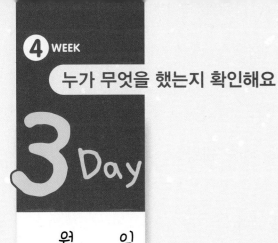

❶ 세종 대왕

❷ 윷놀이

다음 글을 읽으며, 빈칸에 알맞은 낱말을 찾아 쓰세요.

궁궐	민속놀이	이른

아버지와 나는 ☐☐ 체험 행사를 하려고 경복궁에 갔습니다. ☐☐
임금과 그의 가족 및 그들의 생활을 돌보는 사람들이 사는 곳   시간상 앞서 있는

시간이지만 그곳은 체험 행사를 하려는 사람들로 가득했습니다. 나는 왕이

입었던 옷을 입고 천천히 걸어 다녀도 보고, 선비의 갓을 쓰고 시조도 써 보

았습니다. 제기차기, 그네뛰기 등 ☐☐☐☐ 체험도 하였습니다.
옛날부터 사람들 사이에 전해 내려오는 놀이

어느 날, 이른 새벽이었습니다. 궁궐을 돌아보던 세종 대왕은 새벽까지 공부를 하다가 앉은 채 잠이 든 젊은 학자를 보았습니다.

세종 대왕은 백성들이 사는 모습도 꼼꼼히 살폈습니다.

"백성들은 어떻게 살고 있을까?"

가끔 궁궐 밖으로 나가서 백성들의 어려움이 무엇인지 살펴보았습니다. 그리고 백성들을 위해 많은 일을 하였습니다.

세종 대왕이 나라를 다스리던 때에 우리 나라에서는 한자를 쓰고 있었습니다. 한자는 백성들이 배우기 어려운 글자였습니다.

세종 대왕은 한자를 배우기 어려워하는 백성들을 보며 안타까워하였습니다.

'쉬운 글자가 필요해. 백성들이 배우기 쉽고, 쓰기 편한 글자를 만들어야겠어.'

세종 대왕은 우리말을 쉽게 적을 수 있는 글자를 만들기 위하여 밤낮으로 노력하였습니다. 여러 학자들이 세종 대왕을 도왔습니다. 눈병이 났을 때에도 세종 대왕은 글자를 만들기 위하여 계속 노력하였습니다.

오늘날에 우리가 쓰고 있는 한글은 세종 대왕과 여러 학자들이 만든 글자입니다.

1 이 글에 대한 설명으로 알맞은 것은 무엇인가요? (   )

① 세종 대왕이 한 일에 대하여 쓴 글이다.

② 세종 대왕의 어릴적 일에 대하여 쓴 글이다.

③ 세종 대왕이 살았던 궁궐에 대하여 쓴 글이다.

④ 세종 대왕이 왕이 된 과정에 대하여 쓴 글이다.

2 세종 대왕이 나라를 다스리던 때에 백성들의 삶은 어떠하였는지 알맞은 것을 찾아 ○표 하세요.

❶ 궁궐에서 편안히 살았다. ( )

❷ 어려운 한자를 사용해야 했다. ( )

인물이 한 일 알아보기 이 글은 존경받을 만한 인물들이 한 일을 쓴 전기문입니다. 전기문에는 인물의 업적이 중요하게 나타납니다. 이 글에서 세종 대왕이 한글을 만들기 위해 어떤 노력을 하였는지 찾아봅니다.

누가 무엇을
했는지 확인
하기

3 세종 대왕이 우리말을 쉽게 적을 수 있는 글자를 만들기 위해 한 노력을 찾아 ○표 하세요.

❶ 세종 대왕은 눈병이 났을 때에도 글자를 만들기 위하여 계속 노력하였다. ( )

❷ 세종 대왕은 백성들과 함께 살며 밤낮으로 글자를 만들기 위하여 노력하였다. ( )

4 세종 대왕과 학자들이 만든 글자로, 오늘날에 우리가 쓰고 있는 글자를 무엇이라고 하는지 이 글에서 찾아 쓰세요.

● 다음 글을 읽고, 물음에 답하세요.

지난주 수요일에 2학년 1반 교실에서 윷놀이 대회가 열렸다. 이 대회는 담임 선생님께서 우리에게 민속놀이의 재미를 알려 주기 위하여 마련하셨다. 이번 대회에서 인수네 모둠이 일등을 하였다. 인수는 윷놀이가 컴퓨터 게임보다 더 재미있다고 말하였다. 인수의 말에 선생님은 흐뭇해하셨다.

누가 무엇을 했는지 확인 하기

5 **지난주 수요일에 인수네 반 친구들이 한 일은 무엇인가요? (   )**

① 윷놀이를 하였다.

② 컴퓨터 게임을 하였다.

③ 민속놀이를 하려고 체험 학습을 갔다.

④ 선생님께 자신들이 자주 하는 놀이를 알려 드렸다.

오늘 독해는?

5문제 중   개를 맞혔어요!

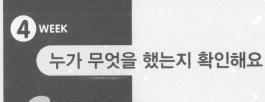

❶ 수민이와 곰 인형
❷ 욕심부린 사자

다음 글을 읽으며, 빈칸에 알맞은 낱말을 찾아 쓰세요.

쪽지	보행기	질질

어머니는 급하게 할 일이 있으시다며 어린 동생을 ☐☐ 에 태우고

젖먹이에게 걸음을 익히게 하려고 태우는, 바퀴가 달린 기구

저보고 보라고 하셨어요. 동생은 침을 ☐☐ 흘리며 온 방을 휘젓고 다

물이나 침, 땀, 콧물 따위가 잇따라 흐르는 모양

녀요. 동생은 제 방에 들어와 벽에 붙여 놓은 제가 쓴 ☐☐ 를 다 떼어

작은 종잇조각. 글쪽지라고도 함.

버리고는 신이 나서 엉덩이를 들썩들썩 거려요. 동생이 말썽을 부리는 건

싫지만 동생의 웃는 모습을 보면 이상하게 화가 나지 않아요.

● **다음 글을 읽고, 물음에 답하세요.**

일요일 아침, 수민이는 어머니와 함께 방을 정리하였습니다. ㉠어머니께서는 수민이가 쓰지 않는 물건들을 모두 상자에 담으셨습니다.

"수민아, 우리 이 물건들을 다른 사람에게 주자. 필요한 사람이 있을지도 몰라."

"어떻게 해요?"

"대문에 쪽지를 붙여 놓자. 그러면 필요한 사람이 가져가겠지."

일요일 오후, 어머니께서는 대문에 종이를 붙이셨습니다. 수민이도 기분이 좋았습니다. 방으로 들어오자마자 초인종이 울렸습니다.

"수민이냐? 옆집 철호 엄마다. 세발자전거가 있다며?"

철호 어머니께서는 세발자전거를 보더니 아주 좋아하셨습니다. 앞집의 순이 어머니께서는 보행기와 인형을 가져가셨습니다.

밤늦은 시간에 초인종이 울렸습니다. 나가 보니 아주머니와 여자아이가 함께 서 있었습니다.

"저, 인형이 있다고 써 두셨기에……."

"인형은 다 가져가고 남은 게 없는데 어쩌지요?"

"아, 그렇군요."

아주머니께서는 아쉬워하는 여자아이의 손을 잡고 돌아서셨습니다.

"아주머니, 잠깐만요. 곰 인형이 하나 남아 있어요."

수민이는 급히 방으로 뛰어 들어가 책상 옆에 놓아두었던 커다란 곰 인형을 안고 나왔습니다.

㉡아이는 곰 인형을 받더니 함빡 웃으며 꼭 껴안았습니다.

"언니, 고마워요."

아이를 보고 아주머니도 기뻐하셨습니다.

1 어머니께서 ㉠과 같은 행동을 하신 까닭은 무엇인가요? (   )

① 재활용품을 버리기 위해서

② 다른 곳에 보관하기 위해서

③ 필요한 사람들에게 주기 위해서

④ 수민이 동생에게 물려주기 위해서

> **인물이 한 일을 생각하며 글 읽기** 글에서 누가 무엇을 했는지 알기 위해서는 인물이 한 일을 차례대로 정리하여 읽어 보는 것이 중요합니다. 수민이와 어머니가 일요일 오후에 한 일을 차례대로 정리하여 무슨 일을 했는지 알아봅니다.

누가 무엇을 했는지 확인 하기

2 다음은 수민이와 어머니가 일요일 오후에 한 일을 정리한 것입니다. 수민 이와 어머니가 일을 한 차례대로 기호를 쓰세요.

> **가.** 순이 어머니께 인형을 드렸다.
>
> **나.** 철호 어머니께 세발자전거를 드렸다.
>
> **다.** 어머니께서 대문에 종이를 붙이셨다.

(   ) → (   ) → (   )

누가 무엇을 했는지 확인 하기

3 다음 빈칸에 들어갈 알맞은 말을 이 글에서 찾아 쓰세요.

수민이는 아주머니와 여자아이에게 ☐☐☐ 을/를 주었다.

4 ㉡의 모습을 본 수민이와 어머니의 마음으로 알맞지 <u>않은</u> 것은 무엇인가 요? (   )

① 흐뭇한 마음   ② 뿌듯한 마음

③ 행복한 마음   ④ 섭섭한 마음

어느 날, 사자 한 마리가 어슬렁어슬렁 사냥을 나갔어요. 아니, 그런데 이게 웬 떡입니까? 양지 바른 바위 밑에서 토끼 한 마리가 쿨쿨 잠을 자고 있는 게 아니겠어요? 사자는 침을 질질 흘리며 흐흐흐 웃었어요. 그런데 사자가 토끼를 막 잡아 먹으려고 할 때, 저쪽에 커다란 사슴 한 마리가 지나가는 것이 보였어요.

"토끼보다는 사슴이 더 크고 맛있으니 저놈을 잡아야지."

사자는 사슴의 뒤를 쫓아갔어요. 사자를 본 사슴은 기다란 다리로 껑충껑충 재빨리 도망갔어요. 그 소리에 놀란 토끼도 잠에서 깨어 도망쳐 버렸지요.

"에이, 할 수 없다. 아까 그 토끼라도 잡자."

사자는 토끼가 자고 있던 곳으로 다시 왔지만 토끼는 이미 도망가고 없었어요.

"토끼나 잡아먹을걸. 괜히 욕심부렸네."

그날 밤, 사자는 배가 너무 고파 끙끙 앓았다는군요.

5 사자가 끙끙 앓은 까닭은 무엇인가요? (   )

① 먹이를 쫓아가다 다쳐서

② 너무 많이 먹어 배가 아파서

③ 이가 아파 잠을 제대로 잘 수 없어서

④ 욕심을 부리다 아무것도 먹지 못하여 배가 고파서

오늘 독해는?

5문제 중   개를 맞혔어요!

❶ 물은 요술쟁이
❷ 쓰레기를 버리지 말자

다음 글을 읽으며, 빈칸에 알맞은 낱말을 찾아 쓰세요.

정상	열른	경치

올해 마지막 날인 오늘, 우리 가족은 동네 뒷산에 올라 일몰을 보기로 하

였다. 아버지는 해가 떨어지기 전에 가야 한다며 [ ] 준비하라고 하
시간을 끌지 아니하고 바로

셨다. 어머니께서는 사람들이 너무 많으니 [ ] 까지 올라가지 말고 중
산 따위의 맨 꼭대기

간 정도까지만 올라가자고 하셨다. 산 중턱쯤에 올라간 우리 가족은 아름

다운 일몰 [ ] 를 바라보며 한 해를 마무리하는 생각에 잠겼다.
산이나 들, 강, 바다 따위의 자연이나 지역의 모습

● 다음 글을 읽고, 물음에 답하세요.

나는 물입니다. 지금 주전자 안에서 보글보글 끓고 있지요. 조금만 기다리면 주전자 밖으로 나갈 수 있습니다. 내가 김*이 되어 밖으로 나가면 사람들은 나를 수증기*라고 부릅니다.

"어, 붕 떠오르네!"

나는 점점 가벼워져서 주전자 밖으로 나갑니다.

"얼른 하늘로 올라가야지."

내가 하늘로 올라가서 친구들과 떠 있으면 사람들은 우리를 구름이라고 부릅니다.

"얘들아, 안녕?"

하늘에 올라가면 친구가 많습니다. 우리는 늘 함께 다니며 세상을 구경합니다.

친구가 많이 모이면 우리 몸이 무거워집니다. 그러면 우리는 땅으로 내려옵니다.

우리는 차가운 공기를 만나면 눈이 되고, 따뜻한 공기를 만나면 비가 되어 땅에 떨어집니다.

나는 이렇게 수증기도 되고 구름도 되고 눈이나 비도 될 수 있습니다. 나는 요술쟁이랍니다.

• 김: 액체가 열을 받아서 기체로 변하는 것.
• 수증기: 기체 상태로 되어 있는 물.

1 이 글에서 '나'는 누구인지 쓰세요.

2 '나'에 대한 설명으로 알맞은 것을 찾아 ○표 하세요.

① '내'가 김이 되어 밖으로 나가면 점점 무거워져 땅으로 내려간다. ( )

② '내'가 김이 되어 밖으로 나가면 사람들은 '나'를 수증기라고 부른다. ( )

 글을 읽고 중요한 내용 알기 '내'가 어떠한 과정을 거쳐 무엇으로 변하는지 알아봅니다.

누가 무엇을 했는지 확인하기

3 '내'가 되지 <u>않는</u> 것은 무엇인가요? ( )

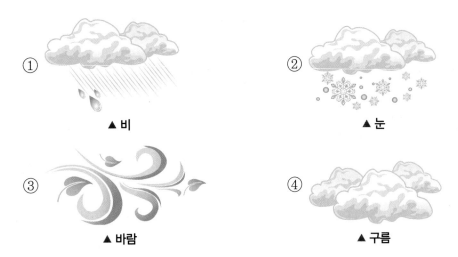

① ▲ 비

② ▲ 눈

③ ▲ 바람

④ ▲ 구름

4 '나'를 요술쟁이라고 한 까닭은 무엇인가요? ( )

① '나'는 요술을 부려야만 비가 될 수 있기 때문이다.
② '나'는 요술쟁이처럼 여러 가지로 변화하기 때문이다.
③ '나'는 계절과 상관없이 눈으로 변할 수 있기 때문이다.
④ 사람들이 눈에 보이지 않는 '나'를 요술쟁이라고 부르기 때문이다.

● 다음 글을 읽고, 물음에 답하세요.

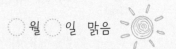

쓰레기를 버리지 말자

오늘은 아침부터 날씨가 맑았다. '오늘 같은 날 밖에 나가면 참 좋겠다.'라고 혼자 생각하고 있었다. 그때였다. 아버지께서 등산을 가자고 말씀하셨다. 나는 좋아서 얼른 따라나섰다.

그런데 산 정상에 거의 도착했을 때 이상한 냄새가 나기 시작했다. 주변을 보니 사람들이 먹고 버린 음식 쓰레기와 과자 봉지들이 여기저기 널려 있었다. 너무 지저분했다.

좋은 공기를 마시며 산의 경치를 감상할 수 있도록 산에 쓰레기를 버리지 않았으면 좋겠다.

누가 무엇을 했는지 확인 하기

5 글쓴이가 겪은 일이 <u>아닌</u> 것은 무엇인가요? ( )

① 아버지와 함께 등산을 갔다.

② 산 정상에 올라가서 여러 가지 쓰레기들을 보았다.

③ 산 정상에 거의 도착했을 때 이상한 냄새를 맡았다.

④ 산 정상에서 좋은 공기를 마시며 즐겁게 경치를 감상하였다.

5문제 중 　개를 맞혔어요!

독해 원리 학습

1

인물의 말을 살펴본다.

누가 무엇을
했는지 확인
하는 방법

2

인물의 행동을 살펴본다.

3

인물의 생각을 살펴본다.

누가 무엇을 했는지 알면
인물에 대하여 더 깊게 이해할 수 있어요.

봄이 되면 온갖 초목이 물이 오르고 싹이 트고 한다. 사람도 아마 그런
⋯⋯⋯⋯⋯⋯⋯⋯⋯ 자란 듯싶은 점순이가 여간

인물에 대한 이해

35. 윗글의 인물에 대한 이해로 가장 적절한 것은?

① '점순이'는 성례를 위해 적극적으로 행동을 취하지 않는 '나'에
게 불만을 표시⋯⋯

수능에는 인물이 처한 상황에 따라 인물의 행동이 어떻게
달라지는지 파악하는 문제가 나와요.

② '나'는 '점순이⋯⋯
아갈 것을 결심⋯⋯

③ '나'와 '장인'이 갈등을 일으키는 이유는 '점순이'에게 함부로
일을 시키는 '장인'의 태도 때문이다.

WEEK **5**

상황에 알맞은 내용을 찾아요

즐거운 동물학교

숲속 동물들이 학교에 갔어요. 동물 친구들이 무엇을 하고 있는지 생각하며 빈칸에 들어갈 알맞은 말을 써 보세요.

곰은 [ ] 을 그려요.   토끼는 [ ] 을 읽어요.   돼지는 종이접기를 해요.

  빈칸에 '그림', '책' 같은 말을 넣으면 그림에 어울리는 문장을 만들 수 있어요. 이렇듯 **상황에 알맞은 내용**을 찾기 위해서는 **상황에 맞는 문장**을 써 보는 것이 좋아요. **문장**을 만들면서 **내용을 잘 정리**할 수 있기 때문이지요.

  자, 그럼 글을 읽고 상황에 알맞은 내용을 찾아볼까요?

❶ 자기 자랑

❷ 어머니께

다음 글을 읽으며, 빈칸에 알맞은 낱말을 찾아 쓰세요.

양보	영양분	돌부리

나는 할머니와 동생과 함께 쑥을 캐러 갔다. 할머니께서는 봄에 나오는

쑥은 ⬜⬜⬜ 이 많다고 하셨다. 우리는 할머니께 쑥 캐는 방법을 배
　　　영양이 되는 성분

우고 본격적으로 쑥을 캐기 시작했다. 동생과 나는 내기라도 하듯 서로

⬜⬜ 없이 한자리에서 쑥을 열심히 캤다. 할머니께서는 ⬜⬜
길이나 자리, 물건 따위를 사양하여 남에게 미루어 줌.　　　　　　　땅 위로 내민 돌멩이의 뾰족한 부분

근처에 쑥이 많다고 알려 주셨다.

● 다음 글을 읽고, 물음에 답하세요.

정호가 잠자는 사이에 눈, 코와 입, 손, 발이 자기 자랑을 시작하였습니다.

내가 없으면 아무것도 볼 수 없어. 벽에 부딪히고, 돌부리에 걸려 넘어질 거야. 그래서 너희는 온통 상처투성이가 될 거야. 내가 제일 훌륭한 일을 하고 있지. 그러니까 내가 최고야.

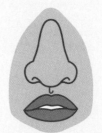

아니야. 네가 아무리 훌륭해도 우리가 없으면 소용이 없어. 우리가 없으면 숨을 쉴 수가 없잖아? 음식을 먹을 수도 없고, 냄새를 맡을 수도 없지. 그러니까 우리가 최고야.

○ㄱ

애들아, 몸에서 나만큼 중요한 게 또 있겠니? 내가 없으면 연필을 잡을 수 없고, 장난감을 가지고 놀 수도 없어. 예쁜 반지도 손가락에 끼우잖아? 그러니까 내가 최고야.

하하하, 몸에서 제일 높으신 내가 한 말씀을 하겠다. 너희는 내가 없으면
(ㄴ   )
사람들이 왜 양말과 신발을 신고 다니는지 아니? 다 내가 귀하기 때문이야. 그러니까 내가 최고야. 에헴!

자기 자랑은 밤새도록 끝나지 않았습니다. 누구 하나 양보하지 않았기 때문입니다.

1 눈은 왜 자신이 최고라고 하였나요? (   )

① 자신이 없으면 들을 수 없기 때문에
② 자신이 없으면 숨을 쉴 수 없기 때문에
③ 자신이 없으면 음식을 먹을 수 없기 때문에
④ 자신이 없으면 아무것도 볼 수 없기 때문에

2 ㉠에 들어갈 그림으로 알맞은 것을 찾아 ○표 하세요.

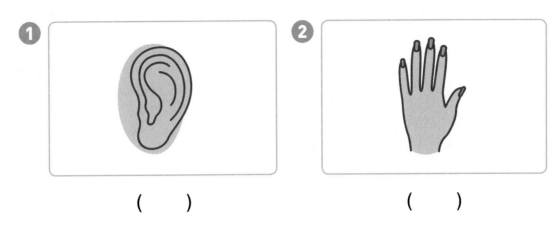

① (   )

② (   )

그림에 어울리는 문장 찾기   이 글은 눈, 코와 입, 손, 발이 서로 자기가 최고라고 자기 자랑을 하는 내용입니다. 몸에서 양말과 신발을 신는 부분은 어디일지 생각해 봅니다.

상황에 알맞은
내용 찾기

3 ㉡에 들어갈 알맞은 문장은 무엇인가요? (   )

① 잠을 잘 수 없어.

② 책을 읽을 수 없어.

③ 물건을 잘 집을 수 없어.

④ 반듯하게 서 있을 수 없어.

4 다음 빈칸에 들어갈 알맞은 말을 이 글에서 찾아 쓰세요.

누구 하나 □□ 하지 않아서 친구들의 자기 자랑은 밤새도

록 끝나지 않았습니다.

● 다음 글을 읽고, 물음에 답하세요.

어머니께 드릴 말씀이 있어요.

어머니. 저는 김치가 싫어요. 어머니께서는 김치에 영양분이 많아서 꼭 먹어야 한다고 하셨죠? 그러나 저는 김치가 너무 매워서 먹고 싶지 않아요. 색깔이 너무 빨개서 먹기 전부터 겁이 나요. 김치를 반드시 먹어야 한다면 덜 매운 김치를 해 주세요. 그러면 먹을 수 있도록 노력해 볼게요.

지연 올림

5 지연이가 김치를 먹지 못하는 까닭은 무엇인가요? (   )

① 너무 매워서

② 냄새가 나서

③ 너무 질겨서

④ 모양이 길어서

오늘 독해는?

5문제 중   개를 맞혔어요!

❶ 까마귀와 여우
❷ 로봇 친구 만능이

다음 글을 읽으며, 빈칸에 알맞은 낱말을 찾아 쓰세요.

| 변신 | 겨를 | 비교 |

　　오늘 제빵 학원에서 초코 쿠키를 만들었습니다. 오늘따라 시간이 없어서

순서를 생각할 ▢▢ 없이 쿠키 모양을 만들고 초코 가루로 장식하여
　　　어떤 일을 하다가 생각 따위를 다른 데로 돌릴 수 있는 시간적인 여유

겨우 오븐에 넣었습니다. 오븐에서 꺼낸 반죽은 맛있는 쿠키로 ▢▢ 하
　　　　　　　　　　　　　　　　　　　　　　몸의 모양이나 태도 따위를 바꿈.

였습니다. 내가 직접 만든 쿠키는 제과점에서 파는 쿠키와 ▢▢ 할 수
　　　　　　　　　　　　　　둘 이상의 사물을 견주어 서로 간의 비슷한 점과 다른 점을 생각하는 일

없을 만큼 소중합니다.

까마귀 한 마리가 생선을 입에 물고 높은 나뭇가지에 앉아 있었습니다.

그때, 여우 한 마리가 그 밑을 지나가다가 생선을 입에 물고 있는 까마귀를 보게 되었습니다. 여우는 침을 꿀꺽 삼켰습니다.

'어떻게 저걸 빼앗아 먹지?'

궁리하던 여우는 한 가지 꾀를 냈습니다.

"까마귀님, 언제 보아도 아름다우시군요. 모습도 아름답지만, 반들반들 윤이 나는 몸 빛깔은 정말 다른 새들과 비교도 되지 않아요."

까마귀는 기분이 좋았습니다. 새까만 자기를 보고 아름답다고 말하는 소리를 아직 한 번도 들어 본 적이 없었기 때문입니다.

여우는 계속해서 까마귀를 칭찬했습니다.

"그런데 까마귀님, 나는 아직 당신의 목소리를 들어 보지 못했답니다. 만일 당신의 목소리도 그 모습처럼 아름답다면, 당신을 새 중의 여왕이라고 할 수 있겠지요."

까마귀는 기분이 좋았습니다. 더군다나 새 중의 여왕이라는 말까지 듣자, 이것저것 생각할 겨를 없이 여우에게 자기의 목소리를 들려주어야겠다고 생각했습니다.

까마귀는 날개를 퍼덕이며 입을 크게 벌려 "까악까악" 하고 노래했습니다. 그러자 입에 물고 있던 생선이 그만 아래로 떨어졌습니다.

여우는 기다렸다는 듯이 생선을 받아 한입에 꿀꺽 삼켜 버렸습니다. 그리고 나무 위의 까마귀에게 말했습니다.

"까마귀님, 당신의 목소리는 정말 듣기 좋군요. 새 중의 여왕이라고 할 만해요. 다만 지혜가 부족한 것이 흠이긴 하지만 말이에요."

여우는 재빨리 숲속으로 달아났습니다.

1 여우가 궁리한 일은 무엇인가요? (　　　)

① 까마귀와 친구가 되는 것
② 까마귀의 생선을 빼앗는 것
③ 까마귀와 함께 먹이를 찾는 것
④ 까마귀가 있는 나무 위로 올라가는 것

> 그림을 보고 문장 만들기　제시한 그림이 글의 어느 부분을 나타낸 것인지 알아봅니다. 그리고 그림에 해당하는 알맞은 문장을 찾아봅니다.

상황에 알맞은
내용 찾기

2 오른쪽 그림은 이 글의 일부분을 그림으로 나타낸 것입니다. 그림에 어울리는 문장을 찾아 ○표 하세요.

① 까마귀가 날개를 퍼덕이며 입을 크게 벌려 "까악까악" 하고 노래를 하자 입에 물고 있던 생선이 그만 아래로 떨어졌습니다. (　　　)

② 여우는 까마귀에게 새 중의 여왕이라고 계속해서 칭찬하여 까마귀의 기분을 좋게 하였습니다. (　　　)

3 이 글에서 알 수 있는 까마귀의 성격은 어떠한가요? (　　　)

① 지혜롭다.　　　　　　② 어리석다.
③ 게으르다.　　　　　　④ 자기밖에 모른다.

● 다음 글을 읽고, 물음에 답하세요.

나한테는 로봇 친구 만능이가 있어요. 만능이는 모르는 것도 없고 못 하는 일도 없어요.

내일이 시험인데도 나는 하루 종일 만능이랑 놀기만 했어요. 다음날, 나는 만능이를 데리고 학교로 갔습니다. 만능이는 투명 인간으로 변신하여 내 옆에 앉았습니다. 히히, 이제 만능이가 옆에서 답을 불러 줄 것입니다.

그런데 이게 웬일이죠? 만능이가 아무 말도 하지를 않는 것입니다. 아차, 만능이한테 건전지를 갈아 주어야 하는데 그만 깜박 잊어버린 것입니다.

'이럴 줄 알았으면 미리 공부할걸.'

4 만능이에 대한 설명으로 알맞지 <u>않은</u> 것은 무엇인가요? (   )

① '나'의 로봇 친구이다.

② 투명 인간으로 변신할 수 있다.

③ 모르는 것도 못 하는 일도 없다.

④ 시험 시간에 '나'에게 답을 불러 주었다.

오늘 독해는?

4문제 중   개를 맞혔어요!

❶ 이사를 간 물고기
❷ 신호를 지킵시다

다음 글을 읽으며, 빈칸에 알맞은 낱말을 찾아 쓰세요.

이사	신호	차창

오늘 아버지 회사 근처로 ☐☐ 를 하였다. 우리 가족이 탄 차는 이삿짐
<small>사는 곳을 다른 데로 옮김.</small>

을 실은 차를 뒤따라갔다. ☐☐ 밖으로 내가 살던 동네를 스쳐보았다.
<small>기차나 자동차 따위에 달려 있는 창문</small>

차가 ☐☐ 에 걸릴 때마다 좋은 추억이 담긴 곳곳을 자세히 볼 수 있었
<small>소리, 몸짓 따위로 특정한 내용 또는 정보를 전달하거나 지시를 함.</small>

다. 눈물이 날 것 같았다. 정든 이 동네를 영원히 잊지 못할 것이다.

● 다음 글을 읽고, 물음에 답하세요.

일요일 아침, 영수는 아버지와 고향 마을인 샘골로 가는 버스를 탔습니다. 차창 밖으로 보이는 시골 풍경이 아름다웠습니다.

"영수야, 아버지는 어렸을 때 냇가에서 재미있게 놀았단다. 물고기도 잡으면서 말이야."

"지금도 물고기가 살고 있겠지요?"

영수는 물고기가 즐겁게 노는 모습을 볼 수 있다는 생각에 기뻤습니다.

아버지와 영수는 버스에서 내려 샘골 마을로 향하였습니다.

길가의 꽃들이 방긋방긋 인사를 하는 것 같았습니다.

냇가에 다다랐을 때였습니다. 냄새가 났습니다. 냇물에서 나는 냄새였습니다.

"어, 언제부터 이렇게 되었지?"

아버지가 깜짝 놀라셨습니다.

"아빠, 물고기가 살고 있을까요?"

"냇물이 더러워졌으니 물고기도 다른 곳으로 이사를 갔을 거야."

냇물을 바라보는 아버지의 얼굴 표정이 어두워졌습니다.

맑은 물과 뛰어노는 물고기를 볼 수 없었습니다. 영수는 속상하였습니다. 집에 돌아온 영수는 낮에 있었던 일을 떠올리며 일기를 썼습니다.

○월 ○일

아빠와 함께 샘골에 있는 냇가에 갔다. 냇물이 더러웠다. 물고기도 살지 않았다.

사람들이 (㉠)

1 영수는 누구와 어디에 갔는지 이 글에서 찾아 쓰세요.

❶ 누구와 갔나요?

❷ 어디에 갔나요?

2 아버지가 깜짝 놀란 까닭은 무엇인가요? (　　)

① 냇가가 메말라 있어서
② 냇가에서 냄새가 심하게 나서
③ 냇가에 물고기가 너무 많이 살고 있어서
④ 냇가에 사람들이 너무 많이 몰려 있어서

3 영수가 속이 상한 까닭은 무엇인가요? (　　)

① 냇가에 물고기가 살고 있지 않아서
② 아버지가 물고기를 잡아 주지 않으셔서
③ 차가 늦게 도착하여 냇가에 가지 못해서
④ 냇가에 있는 물고기를 사람들이 다 잡아가서

> 생각을 문장으로 나타내기　영수는 자신의 생각을 일기로 나타냈습니다. 맑은 물과 뛰어노는 물고기를 볼 수 없어서 속상한 영수가 어떠한 생각을 하였는지 파악해 봅니다.

상황에 알맞은
내용 찾기

4 ㉠에 들어갈 영수의 생각으로 알맞은 것은 무엇인가요? (　　)

① 가족과 함께 다니면 좋겠다.
② 물고기를 잡지 않으면 좋겠다.
③ 냇가 근처로 이사를 오면 좋겠다.
④ 쓰레기를 함부로 버리지 않으면 좋겠다.

● 다음 글을 읽고, 물음에 답하세요.

(㉠)를 지킵시다

철수는 교통사고를 줄이기 위해서는 길을 가는 사람이 신호를 잘 지켜야 하며, 반드시 횡단보도로 건너야 한다고 생각합니다.

철수가 학교에 가려면 큰길을 건너야 하는데, 빨간불인데도 급하게 뛰어 건너는 사람을 가끔씩 봅니다. 철수는 그런 위험한 모습을 볼 때마다 깜짝 놀랐습니다.

그래서 철수는 교통사고를 줄이기 위해서는 반드시 길을 건너는 사람이 신호를 잘 지켜야 한다고 생각합니다.

상황에 알맞은
내용 찾기 **5** ㉠에 들어갈 알맞은 말을 이 글에서 찾아 쓰세요.

오늘 독해는?

5문제 중   개를 맞혔어요!

❶ 송아지와 바꾼 무
❷ 꿀벌

다음 글을 읽으며, 빈칸에 알맞은 낱말을 찾아 쓰세요.

| 귀한 | 평생 | 탐스러운 |

우리 동네 입구에는 내 나이보다 오래된 감나무가 있습니다. 가을이 되면

☐☐☐☐ 감이 주렁주렁 열려 동네 사람들은 각자 먹을 만큼만 따
마음이 몹시 끌리도록 보기에 만족한

서 맛있게 먹었습니다. 올해에는 감나무에 감들이 가지가 보이지 않을 만

큼 빼꼭히 열렸습니다. 아버지께서는 ☐☐ 이런 감나무는 처음 본다며
세상에 태어나서 죽을 때까지의 동안

☐☐ 선물을 받은 것 같다고 좋아하셨습니다.
아주 가치가 있고 소중한

● 다음 글을 읽고, 물음에 답하세요.

어느 가을날, 농부가 밭에서 무를 뽑고 있었습니다. 희고 탐스러운 무가 쑥쑥 뽑혀 나왔습니다. 농부는 신바람이 나서 어깨가 들썩들썩하였습니다.

그러다 농부는 커다란 무를 뽑았습니다. 아주 굵고 긴 무였습니다. 농부는 신기해서 그것을 고을 사또에게 바치기로 하였습니다.

"사또, 제가 평생 농사를 지었지만 이렇게 커다란 무는 처음 봅니다. 사또께 이 무를 바치고 싶습니다."

"그래, 고맙구나. 이렇게 커다란 무는 나도 본 적이 없다. 귀한 선물을 받았으니까 나도 무엇인가 보답을 해야지. 이방, 요즈음 들어온 물건 중에서 농부에게 줄 것이 있느냐?"

이방은 송아지 한 마리를 끌고 나와 농부에게 주었습니다. 사또에게 무 하나를 바치고 송아지 한 마리를 얻은 농부를 고을 사람들은 부러워하였습니다.

그 이야기를 들은 욕심꾸러기 농부는 샘이 났습니다.

'사또께 송아지를 갖다 바치면 더 큰 선물을 받겠지?'

욕심꾸러기 농부는 사또에게 송아지를 끌고 갔습니다.

"사또, 제가 소를 많이 키워 보았지만 이렇게 튼실한 송아지는 처음 봅니다. 이 송아지를 사또께 드리고 싶습니다."

사또는 고마워하며 이방에게 말하였습니다.

"이방, 무엇인가 보답을 해야겠는데, 요즈음 들어온 물건 중에서 귀한 것이 뭐가 있느냐?"

"며칠 전에 들어온 커다란 무가 있습니다."

"옳지! 그 무를 내어다가 농부에게 주어라."

욕심꾸러기 농부는 커다란 무를 받고 (㉠) 집으로 돌아왔습니다.

1 농부는 밭에서 뽑은 커다란 무를 어떻게 하였나요? (　　)

① 고을 사또께 바쳤다.

② 소에게 먹이로 주었다.

③ 고을 사람들에게 자랑했다.

④ 욕심꾸러기 농부의 송아지와 바꾸었다.

2 욕심꾸러기 농부가 사또에게 송아지를 바친 까닭은 무엇인가요? (　　)

① 농부가 받은 소를 빼앗고 싶어서

② 사또가 송아지를 키우고 싶어 하여서

③ 사또에게 고마운 마음을 전하고 싶어서

④ 농부가 받은 선물보다 더 큰 선물을 받고 싶어서

3 사또는 욕심꾸러기 농부에게 무엇을 선물하였는지 이 글에서 찾아 쓰세요.

인물의 마음 짐작하기 글의 내용을 파악하여 상황에 어울리는 인물의 마음을 알아봅니다. 욕심꾸러기 농부가 송아지를 선물하고 커다란 무를 받았을 때의 마음을 짐작해 보세요.

상황에 알맞은
내용 찾기

4 ㉠에 들어갈 욕심꾸러기 농부의 마음으로 알맞은 것은 무엇인가요?

(　　)

① 실망하여　　　　　　② 기뻐하며

③ 감사해하며　　　　　④ 흐뭇해하며

● 다음 글을 읽고, 물음에 답하세요.

꿀벌은 춤을 잘 춥니다. 그렇다고 아무런 까닭 없이 춤을 추지는 않습니다. 친구들에게 꿀이 있는 곳을 알려 주기 위하여 춤을 춥니다.

꿀이 가까운 곳에 있으면 빙빙 돌면서 춤을 춥니다. 또, 꿀이 멀리 있으면 8자 모양을 그립니다. 다른 꿀벌들은 춤의 모양을 보고 꿀이 있는 곳으로 날아가 함께 꿀을 모읍니다.

상황에 알맞은
내용 찾기

5 꿀벌이 꿀이 멀리 있음을 알려 주는 춤으로 알맞은 것에 ○표 하세요.

① ( )　　　　② ( )

5문제 중　　　개를 맞혔어요!

5 Day

월   일

❶ 재미있는 놀이
❷ 서서 자는 동물

다음 글을 읽으며, 빈칸에 알맞은 낱말을 찾아 쓰세요.

꾸벅꾸벅	술래	가위바위보

오늘 친구들과 숨바꼭질을 했습니다. 나는 [   ]에 져서

손을 내밀어 그 모양에 따라 순서나 승부를 정하는 방법

[   ]가 되었습니다. 나는 다른 친구들은 다 찾았는데 수빈이만은 찾을

술래잡기 놀이에서, 숨은 아이들을 찾아내는 아이

수 없었습니다. 소파 뒤에 가 보니 수빈이가 [   ] 졸고 있었습

머리나 몸을 앞으로 자꾸 많이 숙였다가 드는 모양

니다.

● 다음 글을 읽고, 물음에 답하세요.

옛날 어린이들이 즐기던 놀이에는 꼬리잡기, 그림자밟기, 비사치기 등이 있습니다. 꼬리잡기, 그림자밟기, 비사치기는 어떻게 하는 놀이인지 알아봅시다.

꼬리잡기는 같은 줄의 맨 앞의 사람이 맨 뒤의 사람을 잡는 놀이입니다. 놀이를 하려면 먼저 여러 사람이 한 줄로 늘어섭니다. 그리고 뒷사람은 앞사람의 허리를 잡고 몸을 굽힙니다. 맨 앞의 사람이 술래가 되어 맨 뒤의 사람을 잡습니다.

그림자밟기는 (㉠   ) 먼저, 가위바위보를 하여 술래를 정합니다. 술래가 다른 사람의 그림자를 밟으면 놀이에서 이깁니다. 술래에게 그림자를 밟힌 사람은 다음 술래가 됩니다.

비사치기는 상대편의 돌을 넘어뜨리는 놀이입니다. 먼저, 손바닥만한 납작한 돌을 한 개씩 준비합니다. 그리고 가위바위보로 편을 나눕니다. 가위바위보에서 진 편은 자기의 돌을 한 줄로 세워 놓고 이긴 편이 먼저 멀리서 자기의 돌을 던지거나 발로 차서 진 편의 돌을 맞혀 넘어뜨립니다. 상대편의 돌을 모두 넘어뜨린 편이 놀이에서 이깁니다.

1 이 글에 나온 옛날 어린이들이 즐겨 했던 놀이가 <u>아닌</u> 것은 무엇인가요?

(   )

① 꼬리잡기
② 비사치기
③ 끝말잇기
④ 그림자밟기

2 꼬리잡기를 하는 방법을 놀이 순서에 맞게 기호를 쓰세요.

> **가.** 맨 앞의 사람이 술래가 되어 맨 뒤의 사람을 잡습니다.
> **나.** 뒷사람은 앞사람의 허리를 잡고 몸을 굽힙니다.
> **다.** 여러 사람이 한 줄로 늘어섭니다.

(   ) → (   ) → (   )

상황에 어울리는 문장 알기   ㉠에 들어갈 문장을 찾기 위해서는 ㉠ 뒤에 나오는 내용을 잘 살펴보아야 합니다. '그림자밟기' 놀이를 설명한 문장을 찾아봅니다.

상황에 알맞은
내용 찾기

3 ㉠에 들어갈 문장으로 알맞은 것은 무엇인가요? (   )

① 다른 사람의 그림자를 찾는 놀이입니다.
② 다른 사람의 그림자를 밟는 놀이입니다.
③ 다른 사람보다 그림자를 크게 만드는 놀이입니다.
④ 다른 사람의 그림자 모습을 따라 하는 놀이입니다.

4 다음 중 비사치기를 할 때 이기는 방법을 찾아 ○표 하세요.

❶ 상대편의 돌을 모두 넘어뜨린다.   (   )

❷ 상대편보다 더 많은 돌을 쌓는다.   (   )

● 다음 글을 읽고, 물음에 답하세요.

황새는 부리를 깃털 사이에 파묻고 한쪽 다리로 서서 잡니다. 이때, 다른 한쪽 다리는 접어서 깃털 사이에 넣습니다. 이렇게 서 있으면 몸의 열이 빠져나가는 것을 줄여, 추위로부터 몸을 보호할 수 있습니다.

기린도 서서 자는 동물입니다. 기린은 목과 다리가 길어 누웠다 일어나려면 한참 걸립니다. 누워서 자다가 사자나 표범과 같은 적이 다가오면 매우 위험합니다. 그래서 기린은 적이 나타나면 빨리 도망갈 수 있도록 주로 서서 꾸벅꾸벅 조는 듯이 잡니다.

상황에 알맞은
내용 찾기 **5** **다음 사진과 어울리는 이 글의 중요한 문장을 찾아 ○표 하세요.**

❶ 황새와 기린은 서서 자는 동물입니다. ( )

❷ 황새와 기린은 서서 먹이를 찾습니다. ( )

오늘 독해는?

5문제 중　　개를 맞혔어요!

상황에 알맞은 내용을 찾아요

마무리

독해 원리 학습

1 누가 무엇을 했는지 살펴본다.

상황에 알맞은 내용을
찾는 방법

2 누구에게 어떤 일이 일어났는지 살펴본다.

3 상황에 어울리는 그림이나 문장을 찾는다.

상황에 알맞은 내용을 찾으면서
글의 내용을 더 잘 이해할 수 있어요.

ⓐ분풀이를 하고, 더구나 재물을 도로 찾고 하는 것이라면야 코삐뚤이
삼복이는 말고, 그보다 더한 놈한테라도 머리 숙이는 것쯤 상관할 바

상황을 나타내기

37. ⓐ의 상황을 나타내기에 가장 적절한 것은?

① 꿩 먹고 알 먹는다.

② 되로 주고 말로

③ 소 잃고 외양

④ 오는 말이 고와

⑤ 종로에서 뺨 맞고 한강에서 눈 흘긴다

수능에는 글의 상황을 다른 말로 바꾸어 표현하거나 상황에 알맞은 말을 찾는 문제가 나와요.

수능까지 연결되는 초등 독해

WEEK **6**

글에 어울리는
제목을 붙여요

진성이의 글짓기

진성이가 글을 썼어요. 그런데 글에 제목이 없네요. 다음 글에 어울리는 제목은 무엇일까요?

제목: ?

소방차는 사람들이 위험에 처해 있을 때
언제나 달려갑니다.
그렇기 때문에 차도에 있는 자동차들은
소방차를 만나면 길을 양보해 주어야 해요.
긴 사다리와 물을 뿜어내는 호스가 있는
소방차는 언제나 사람들의
안전을 위해 노력한답니다.

119

진성이는 소방차에 대해 글을 쓰고 소방차 그림도 그렸어요. 그렇다면 이 글의 제목은 '소방차' 또는 '사람들의 안전을 지켜 주는 소방차'가 알맞을 것 같아요. 사물에 이름이 있듯이 글에도 **글의 내용을 대표하는 제목**이 있어요. 글의 제목은 글의 내용과 어울려야 하며 글의 **중요한 내용**을 잘 드러낼 수 있어야 해요.

자, 그럼 글을 읽고 **글에 어울리는 제목**을 붙여 볼까요?

제목 짓기(1)

다음 글을 읽으며, 빈칸에 알맞은 낱말을 찾아 쓰세요.

덕에	동시에	골고루

편식하는 동생과 나에게 어머니께서 말씀하셨습니다.

"오이와 가지는 할아버지께서 너희가 채소를 ☐☐☐ 먹기를 바라는
두루두루 빼놓지 아니하고

마음으로 직접 길러서 보내신 거야."

"네! 정말요?" 우리는 깜짝 놀라 ☐☐☐ 외쳤습니다.
같은 때나 시기에

우리는 할아버지 ☐☐ 채소를 먹게 되었습니다.
베풀어 준 은혜나 도움에

● 다음 글을 읽고, 물음에 답하세요.

어느 날, 악동이는 옆집에 사는 새순이에게 이웃 자랑을 했어요.

"우리 앞집 코끼리는 코가 굉장히 길어. 지난번 우리 마을에 불이 났을 때, 코끼리가 코로 물을 뿌려서 불을 껐단다."

그러자 새순이도 자기 앞집에 사는 하마 자랑을 했어요.

"흥! 아무리 코끼리가 있어도 우리 앞집 하마가 없으면 큰일 날 뻔했을걸? 불이 났을 때 하마가 입에 물을 담아 와서 전해 주었거든."

악동이가 또 말했어요.

"우리 뒷집에 사는 원숭이는 얼마나 나무를 잘 타는지 알아? 불이 나자 원숭이가 높은 나무 위로 이웃들을 옮겨 주었다고."

새순이가 또 말했어요.

"불이 났을 때, 우리 뒷집 기린 덕에 지붕에 있던 이웃들이 기린 목을 타고 내려와 살 수 있었대."

악동이도 얘기했어요.

"우리 옆집에 누가 사는지 알아? 얼룩말이야. 불이 나자 얼룩말이 다친 아이들을 등에 태우고 재빨리 병원으로 옮겼대. 그래서 다들 살 수 있었어."

악동이와 새순이는 서로 지지 않으려고 하다가 동시에 외쳤어요.

"그럼 우리 옆집에 또 누가 사는지 알아?"

그러다가 둘은 깔깔 웃고 말았어요.

"우리 옆집에는 새순이가 살고 있잖아."

"우리 옆집에는 악동이 네가 살고 있지?"

둘은 또 동시에 외쳤어요.

"우리 이웃들은 정말 자랑스러워."

1 악동이와 새순이가 나눈 대화의 내용은 무엇인가요? (　　)

① 이웃 자랑을 하였다.

② 새로 이사 온 이웃을 소개하였다.

③ 서로 자신이 용감하다고 잘난 체를 하였다.

④ 불조심을 해야 하는 까닭에 대해 말하였다.

2 불이 났을 때 나무 위로 이웃들을 옮겨 준 동물은 누구인가요? (　　)

① 하마　　　　② 코끼리　　　　③ 원숭이　　　　④ 얼룩말

3 만약 마을에 불이 났을 때 동물들이 도와주지 않았다면 어떤 일이 일어났을까요? (　　)

① 불을 더 빨리 끌 수 있었을 것이다.

② 불이 꺼지지 않아 이웃들이 기뻐하였을 것이다.

③ 이웃들이 불이 난 곳을 빨리 빠져나갈 수 없었을 것이다.

④ 다친 이웃들은 병원으로 빨리 옮겨져서 치료를 잘 받았을 것이다.

글을 읽고 제목 붙이기　글의 제목을 붙이기 위해서는 글에서 중요한 내용을 찾아보고 글의 내용에 어울리게 써야 합니다. 이 글에서는 악동이와 새순이가 중요하게 나눈 대화 내용을 바탕으로 글의 제목을 붙일 수 있습니다.

글에 어울리는
제목 붙이기

4 이 글에 제목을 붙인다고 할 때 가장 어울리는 제목을 찾아 ○표 하세요.

❶ 우리 모두 불조심

(　　)

❷ 자랑스러운 이웃

(　　)

● 다음 글을 읽고, 물음에 답하세요.

사람마다 좋아하는 음식과 싫어하는 음식이 있습니다. 사람들은 좋아하는 음식은 많이 먹지만, 싫어하는 음식은 잘 먹지 않습니다.

그러나 음식을 골고루 먹지 않으면 건강이 나빠질 수 있습니다. 나는 음식을 골고루 먹어야 한다고 생각합니다.

글에 어울리는
제목 붙이기

5 **이 글에서 중요한 내용은 무엇인가요? (   )**

① 음식의 종류는 다양하다.

② 음식을 골고루 먹어야 한다.

③ 음식은 많이 먹을수록 좋다.

④ 좋아하는 음식을 먹어야 한다.

오늘 독해는?

5문제 중   개를 맞혔어요!

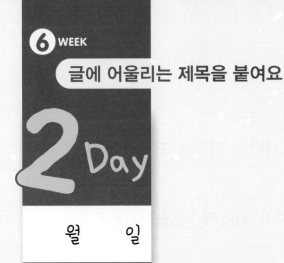

제목 짓기(2)

다음 글을 읽으며, 빈칸에 알맞은 낱말을 찾아 쓰세요.

| 오염 | 멋쩍게 | 일회용 |

오늘 아빠와 분리수거를 하였다. 아빠께서는 분리수거가 생각보다 쉽지

않다며 ☐☐☐ 웃으셨다. 분리수거를 하는 장소에 가 보니 이미 많
하는 짓이나 모양이 격에 어울리지 않게

은 재활용품들이 쌓여 있었다. 아빠께서는 이 중에서 재활용되는 것은 얼

마 되지 않는다며 더 이상 환경이 ☐☐ 되지 않도록 물건을 아껴 쓰고,
더럽게 물듦. 또는 더럽게 물들게 함.

☐☐☐ 물건을 되도록 사용하지 말자고 하셨다.
한 번 쓰고 버리는 것

● 다음 글을 읽고, 물음에 답하세요.

"엄마, 현장 체험 학습 갈 때 저도 친구들처럼 도시락을 일회용 도시락에 싸 주세요!"

기태는 현장 체험 학습을 마치고 집에 들어오자마자 엄마께 말했습니다.

"일회용 도시락에?"

"네. 먹고 나서 버리면 되니까 엄마 설거지도 돕고, 돌아올 때 가방도 가벼워지고, 또 도시락에서 딸그락 소리도 안 나잖아요."

"친구들이 가져온 일회용 도시락은 은박지나 스티로폼으로 된 것이었지?"

"네, 맞아요."

"일회용 도시락을 쓰고 버리면 가방이 가벼워져서 좋기는 하지. 그런데 그것들이 땅속에 묻혀서 썩기까지 얼마나 오랜 시간이 걸리는지 혹시 알고 있니?"

"아니요. 얼마나 걸리는데요?"

"나무젓가락은 20년, 기태가 어렸을 때 쓰던 일회용 기저귀는 100년, 알루미늄이나 스티로폼으로 만든 것은 500년도 더 걸린다는구나."

"오, 오, 오백 년이요?"

"그래. 일회용품들이 이렇게 썩어 갈 때 아주 나쁜 물질들이 나오는데 그 물질들이 땅에 스며들어 흙에 섞이고, 이 흙에서 식물이 자라지. 이 식물을 동물이 먹게 되고 그 동물의 몸속까지 나쁜 물질이 들어가게 된단다."

"그럼 사람 몸에도요?"

"그렇지. 또 비가 내리면 땅에 스며든 나쁜 물질들이 빗물을 따라 강이나 바다로 흘러들어가 지구의 물을 오염시키는 거란다."

"엄마, 일회용품을 사용하지 말아야겠어요. 지구가 병들겠어요."

"호호호, 일회용 도시락에 도시락을 싸 달라고 한 사람이 누구더라?"

기태는 머리를 긁적이며 멋쩍게 웃었습니다.

1 현장 체험 학습을 다녀온 기태가 엄마께 부탁한 것은 무엇인지 알맞은 것을 찾아 ○표 하세요.

① 현장 체험 학습을 갈 때 도시락을 일회용 도시락으로 싸 달라고 하였다. ( )

② 현장 체험 학습을 갈 때 도시락을 도시락 가방에 따로 넣어 달라고 하였다. ( )

2 기태가 엄마께 **1**의 답과 같이 말한 까닭이 <u>아닌</u> 것은 무엇인가요? ( )

① 돌아올 때 가방이 가벼워진다.
② 도시락을 배부르게 먹을 수 있다.
③ 엄마께서 설거지를 안 하셔도 된다.
④ 도시락을 먹고 나서 바로 버릴 수 있다.

3 다음은 엄마께서 말씀하신 내용 중에서 환경이 오염되는 과정을 순서대로 정리한 것입니다. 빈칸에 들어갈 알맞은 말을 쓰세요.

일회용품이 썩어 갈 때 나쁜 물질이 나옴. ➡ 나쁜 물질이 ① ☐ 에 섞임. ➡ 이 흙에서 식물이 자람. ➡ 이 식물을 ② ☐☐ 이/가 먹음. ➡ 동물의 몸속까지 나쁜 물질이 들어감.

✊ **제목 붙이기** 이 글에서 중요한 내용은 엄마께서 지구 환경을 위하여 일회용 도시락을 사용하면 안 되는 까닭에 대해 말씀하신 부분입니다.

글에 어울리는 제목 붙이기 **4** 이 글의 제목으로 알맞은 것을 찾아 ○표 하세요.

① 현장 체험 학습 ( ) ② 일회용품 사용을 줄여요 ( )

● 다음 시를 읽고, 물음에 답하세요.

㉠꿩꿩 장 서방 자네 집이 어딨니?

저 산 넘어서 ㉡잔솔밭이 내 집일세.

꿩꿩 장 서방 무엇 먹고 살았니?

㉢김칫국 끓여 밥 말아 먹고 살았다.

무슨 김치 먹었니?

㉣열무김치 먹었다.

누구누구 먹었니?

나 혼자서 먹었다. (다 같이 먹었다.)

• 잔솔밭: 어린 소나무가 많이 난 곳.

글에 어울리는
제목 붙이기 **5** ㉠~㉣ 중에서 이 시의 제목으로 붙일 수 있는 것은 무엇인가요? (   )

① ㉠ ② ㉡

③ ㉢ ④ ㉣

오늘 독해는?

5문제 중   개를 맞혔어요!

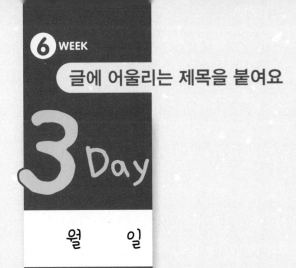

글에 어울리는 제목을 붙여요

3 Day

월   일

제목 짓기(3)

다음 글을 읽으며, 빈칸에 알맞은 낱말을 찾아 쓰세요.

꽂개	계량기	킬로와트

어제 경비 아저씨께서 저희 집 ☐☐☐ 가 계속 돌아가고 있다고 집
<small>수량을 헤아리는 데 쓰는 기구</small>

안 전기 제품을 확인해 달라고 말씀해 주셨어요. 저는 이것저것 살펴보다

가 안방 에어컨이 켜져 있는 것을 발견하고 얼른 에어컨 ☐☐ 를 뽑았
<small>무엇을 꽂게 만든 물건</small>

어요. 에어컨을 하루 종일 켜면 50 ☐☐☐ 이상 전기를 쓰는 것
<small>전력의 단위를 나타내는 말</small>

인데 아주 많은 양이라고 해요. 경비 아저씨 덕분에 전기가 낭비되지 않아

정말 감사했어요.

초등학생인 수진이는 매일 오후 3시면 현관 입구의 전기 계량기 앞으로 달려간다. 오늘 하루 전기 사용량을 확인하기 위해서이다.

수진이 어머니는 하루에 10킬로와트 이상의 전기는 쓰지 않는 것을 목표로 하고 수진이에게 모든 책임을 맡겼다. 현관 입구에는 날짜별 전기 사용량 표를 만들어 두고 10킬로와트를 기준으로 14킬로와트를 썼으면 빨간색으로 '4킬로와트 더 썼음.', 6킬로와트를 썼으면 '4킬로와트 덜 썼음.'과 같이 사용량을 표시하였다.

먼저 수진이와 어머니는 쓰지 않으면서도 꽂혀만 있던 꽂개를 모두 뺐다.

수진이는 6살 동생에게도 '냉장고 문을 자주 열고 닫지 말아라.', 엄마에겐 '컴퓨터 조금만 사용하세요.' 등의 잔소리를 해 가며 전기 꽂개를 뽑는 일을 도맡았다. 또한 더위 때문에 에어컨을 켜야 할 땐 하루 2시간 이내로 사용 시간을 지키기로 했다.

수진이의 잔소리 덕분에 평균 10킬로와트 이상 쓰던 전기 사용량이 요즘엔 7킬로와트 정도로 줄어들었다.

수진이 어머니는 전기세를 절약하는 것도 좋지만 아이에게 절약이 무엇인지 알려 줄 수 있는 기회가 된 것이 보람이라고 말씀하셨다.

○○일보

1 이 글에 대한 설명으로 알맞은 것은 무엇인가요? (　　　)

① 전기가 무엇인지를 설명한 글이다.

② 글쓴이가 전기를 아끼기 위해 노력했던 점을 쓴 일기이다.

③ 글쓴이가 평소에 전기를 아껴 쓴 사람들을 소개한 신문 기사이다.

④ 전기를 아껴 써야 하는 까닭에 대한 글쓴이의 생각이 담긴 편지이다.

2 수진이가 전기를 아껴 쓰기 위해서 한 일이 <u>아닌</u> 것은 무엇인가요?

(   )

① 냉장고의 꽂개를 뺐다.

② 에어컨 사용 시간을 정했다.

③ 날짜별 전기 사용량 표를 만들었다.

④ 동생과 엄마에게 전기를 아껴 쓰라고 잔소리를 했다.

3 전기를 아끼기 위한 수진이의 노력으로 인해 일어난 일은 무엇인가요?

(   )

① 엄마께 꾸중을 들었다.

② 전기 사용량이 줄어들었다.

③ 동생과 사이가 더 좋아졌다.

④ 더 이상 전기를 쓸 수 없게 되었다.

> **글의 내용과 어울리는 제목 붙이기** 이 글은 초등학생이 전기를 아껴 쓴 이야기를 다룬 기사문입니다. 이 글의 중요한 내용과 관련된 제목을 찾아봅니다.

글에 어울리는 제목 붙이기

4 이 글의 제목으로 알맞은 것은 무엇인가요? (   )

① 전기는 중요해요

② 전기는 무엇일까요?

③ 전기 절약 어렵지 않아요

④ 전기는 누구나 쓸 수 있어요

● 다음 글을 읽고, 물음에 답하세요.

○월 ○일 비가 주룩주룩 내린 날

나도 (㉠)를 가지고 싶다

자려고 누웠는데 거실에서 시끄러운 소리가 났다. 나는 왜 그럴까 하고 나가 보았다. 누나가 무언가를 만지며 웃고 있었다. 그것은 아빠께서 새로 사 오신 휴대 전화이다. 우리 집에 있는 휴대 전화 중 가장 멋져 보였다. 나는 휴대 전화를 가지고 싶은 생각이 없었는데 아빠의 것을 보니 나도 휴대 전화를 가지고 싶어졌다. 나의 마음을 아셨는지 엄마께서는 키와 마음이 더 크면 그때 휴대 전화를 사 주겠다고 하셨다. 나는 궁금했다. 엄마께서는 어떻게 내 마음이 컸다는 것을 아실 수 있을까?

휴대 전화를 가지고 싶다는 생각은 한동안 머릿속에서 떠나지 않을 것 같다.

글에 어울리는
제목 붙이기 **5**

㉠은 이 글에서 중요한 낱말이 들어가야 합니다. 어떤 낱말이 들어갈 수 있는지 알맞은 것을 찾아 쓰세요.

오늘 독해는?

5문제 중   개를 맞혔어요!

❶ 자연은 발명왕

❷ 약속

다음 글을 읽으며, 빈칸에 알맞은 낱말을 찾아 쓰세요.

문어	지루하고	주변

삼촌과 바다 낚시를 하러 갔다. 우리 [　　] 에는 낚시하러 온 사람들로

<small>어떤 대상의 둘레</small>

가득하였다. 한참이 지나도 물고기 한 마리를 잡지 못했다. 너무

[　　　　] 졸릴 때쯤 내 낚싯대가 움직이기 시작했다. 삼촌의 도움으

<small>시간이 오래 걸리거나 같은 상태가 오래 계속되어 따분하고 싫증이 나고</small>

로 낚싯줄을 끌어당겼다. 그런데 이게 웬일인가! 내 낚싯줄에 걸린 것은 물고

기가 아니라 [　　] 였다. 삼촌과 나는 너무 기분이 좋아서 펄쩍펄쩍 뛰었다.

<small>붉은 갈색이고 여덟 개의 발이 달린 바다에 사는 동물</small>

● 다음 글을 읽고, 물음에 답하세요.

자연은 발명왕

유리창에 붙어 있는 인형을 본 적이 있나요? 그것을 붙일 때에 사용하는 물건은 문어의 빨판을 본떠 만들었습니다. 문어는 빨판을 이용하여 어디에나 잘 달라붙습니다. 우리가 흔히 쓰는 칫솔걸이도 이것을 본떠 만든 물건입니다.

낙하산은 민들레씨를 본떠 만들었습니다. 민들레씨의 가는 실 끝에는 털이 여러 개 달려 있습니다. 이 털이 있어서 민들레씨는 둥둥 떠서 멀리까지 날아갈 수 있습니다. 또, 천천히 땅에 떨어지게 됩니다. 낙하산을 이용하면 비행기에서 안전하게 땅으로 내려올 수 있습니다.

숲속을 걷다 보면 옷에 열매가 붙어 있는 경우가 있습니다. 도꼬마리 열매에는 갈고리 모양의 가시가 많이 있습니다. 그래서 짐승의 털에 잘 붙습니다. 이것을 보고 단추나 끈보다 더 쉽게 붙였다 떼었다 할 수 있는 물건을 만들었습니다.

이렇게 우리 주변에는 동물이나 식물을 본떠 만든 발명품이 많습니다. 이런 물건은 사람들의 생활을 더 편하게 만들어 줍니다. 자연은 누구보다 위대한 발명왕인 셈입니다.

1 인형이나 칫솔걸이를 유리창에 붙일 때 사용하는 물건은 무엇을 본떠서 만들었는지 쓰세요.

문어의 ☐☐

2 비행기에서 땅으로 안전하게 내려올 수 있는 낙하산은 무엇을 본떠서 만든 것인가요. 다음 빈칸에 들어갈 알맞은 말을 쓰세요.

> ❶ ☐☐☐의 가는 실 끝에 ❷ ☐이 여러 개 달려 있어서 둥둥 떠서 멀리까지 날아갈 수 있고, 천천히 땅에 떨어지게 되는 원리를 본떠 만들었다.

3 도꼬마리 열매의 특징을 두 가지 고르세요. (　　　)

① 작은 구멍들이 많다.
② 짐승의 털에 잘 붙는다.
③ 멀리까지 날아갈 수 있다.
④ 갈고리 모양의 가시가 많이 있다.

> **중요한 내용 알아보기**　글에 제목을 붙일 때에는 글의 내용과 어울려야 하며 글의 중심 내용과 관련 있는 것으로 제목을 붙여야 합니다. 이 글에서 중요한 내용을 말한 친구를 찾아봅니다.

글에 어울리는
제목 붙이기

4 이 글의 제목이 '자연은 발명왕'인 까닭을 바르게 설명한 친구를 찾아 쓰세요.

> **수지** : 동물이나 식물 같은 자연을 본떠 물건을 많이 만들었기 때문이야.
> **민아** : 위대한 발명이 나오기 위해서는 자연을 사랑해야 하기 때문이야.

(　　　　)

● 다음 글을 읽고, 물음에 답하세요.

㉠나는 오늘 공원에 있는 시계탑 앞에서 재민이를 만나기로 하였습니다. ㉡그런데 재민이가 30분이나 늦게 왔습니다. 재민이는 엄마 심부름을 하고 오느라 늦었다고 말하였습니다. 재민이가 엄마 심부름을 하고 오느라 늦었지만, 약속 시간을 어긴 것은 잘못입니다.

㉢약속 시간을 지키지 않은 친구를 기다리는 일은 지루하고 힘이 듭니다. 그리고 시간을 낭비하게 됩니다. ㉣나는 약속 시간을 꼭 지켜야 한다고 생각합니다.

글에 어울리는 제목 붙이기 **5** ㉠~㉣ 중 글쓴이가 이 글에서 중요하게 전달하고자 하는 것은 무엇인가요? (　　)

① ㉠

② ㉡

③ ㉢

④ ㉣

오늘 독해는?

5문제 중　　　　개를 맞혔어요!

❶ 은혜 갚은 꿩
❷ 독도의 여러 이름

다음 글을 읽으며, 빈칸에 알맞은 낱말을 찾아 쓰세요.

헛간	사투리	친친

겨울방학 때 시골집에 놀러 갔습니다. 할머니와 할아버지께서 정겨운

☐☐☐로 우리 가족을 맞아 주셨습니다. 할아버지께서는 아빠와 나를
어느 지방에서만 쓰이는 표준어가 아닌 말. 방언이라고도 함.

데리고 ☐☐에 가시더니 아빠가 예전에 가지고 놀았던 팽이를 꺼내셨습
문짝이 없는 광

니다. 아빠는 팽이 실력을 보여 주겠다며 끈으로 팽이를 ☐☐ 감아서 재
든든하게 자꾸 감거나 동여매는 모양

빠르게 돌렸습니다. 나는 뱅글뱅글 돌아가는 팽이를 신나게 바라보았습니다.

은혜 갚은 꿩

옛날에 한 나그네가 산길을 걷고 있었습니다. 어디선가 이상한 소리가 들려 주위를 살펴보았습니다. 구렁이가 꿩을 잡아먹으려고 하였습니다.

나그네는 재빨리 구렁이에게 활을 쏘아 꿩을 구하여 주었습니다.

날이 저물었습니다. 나그네는 외딴집의 헛간에서 잠을 자게 되었습니다. 잠을 자던 나그네는 가슴이 답답하여 눈을 떴습니다.

"앗!"

커다란 구렁이가 나그네의 온몸을 친친 감고 긴 혀를 날름거리고 있었습니다.

"네가 우리 오라버니를 죽였지? 나는 네가 낮에 죽인 구렁이의 동생이다."

나그네는 살려 달라고 말하였습니다.

"좋다. 날이 밝기 전에 저 산의 빈 절에 있는 종이 세 번 울리면 살려 주마."

나그네는 꼼짝없이 죽게 되었다고 생각하며 눈물을 흘렸습니다.

날이 점점 밝아 오고 있었습니다. 구렁이는 더 세게 나그네의 몸을 조였습니다.

그때였습니다.

"뎅, 뎅, 뎅."

종이 세 번 울렸습니다. 구렁이는 슬그머니 사라졌습니다.

나그네는 어떻게 된 일인지 궁금하여 빈 절에 가 보았습니다. 꿩이 머리에 피를 흘린 채 큰 종 아래 죽어 있었습니다.

1 이야기 속에 나오는 인물이 <u>아닌</u> 것은 누구인가요? (   )

① 꿩   ② 구렁이   ③ 나그네   ④ 까마귀

글에 어울리는 제목 붙이기

2 다음은 친구들이 이 글의 제목을 보고 글의 내용을 짐작한 것입니다. 글의 내용을 바르게 짐작한 친구를 찾아 쓰세요.

> **미소:** 꿩이 자기를 도와준 누군가가 위험에 처하자 은혜를 갚았다는 이야기 같아.
>
> **수호:** 꿩의 도움을 받은 누군가가 꿩에게 은혜를 갚았다는 이야기 같아.

(   )

3 동생 구렁이가 나그네를 찾아온 까닭은 무엇인가요? (   )

① 꿩을 잡으려고

② 은혜를 갚으려고

③ 먹을 것을 찾으려고

④ 오라버니의 원수를 갚으려고

4 다음은 이 글에서 중요하게 일어난 일을 정리한 것입니다. 가장 처음에 일어난 일을 찾아 기호를 쓰세요.

> **가.** 헛간에서 커다란 구렁이가 나그네의 몸을 친친 감고 있었다.
>
> **나.** 나그네가 빈 절에 가 보니 꿩이 머리에 피를 흘린 채 큰 종 아래에 죽어 있었다.
>
> **다.** 빈 절에서 종이 세 번 울리자 나그네의 몸을 친친 감고 있던 구렁이가 슬그머니 사라졌다.
>
> **라.** 구렁이가 꿩을 잡아먹으려는 것을 본 나그네가 구렁이에게 활을 쏘아 꿩을 구하여 주었다.

(   )

● 다음 글을 읽고, 물음에 답하세요.

오랜 옛날부터 사람들은 독도를 여러 이름으로 불렀습니다.

신라 시대에는 독도를 '우산도'라고 불렀습니다. 당시에 울릉도에는 우산국이 있었는데, 독도가 우산국에 속한 섬이어서 그렇게 부른 것입니다. 또한 독도는 '삼봉도'라고 불리기도 했습니다. 독도의 모양이 높고 낮은 세 개의 봉우리처럼 보이기 때문입니다.

독도는 온통 돌로 이루어진 섬입니다. 남쪽 지방 사투리로 '돌'은 '독'이라고 합니다. 그래서 울릉도에 사는 사람들은 독도를 '돌섬' 또는 '독섬'으로 부르기도 합니다.

▲ 독도

글에 어울리는
제목 붙이기
5 다음은 이 글에서 중요한 낱말들입니다. 다음 낱말들과 관련 있는 것은 무엇인가요? (   )

우산도, 삼봉도, 돌섬, 독섬

① 독도의 모양
② 독도의 위치
③ 독도의 여러 이름
④ 독도가 중요한 까닭

오늘 독해는?

5문제 중   개를 맞혔어요!

독해 원리 학습

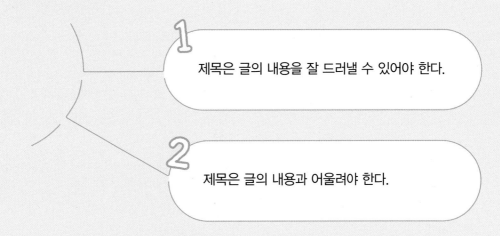

| 제목 | 글의 내용을 대표하기 위하여 붙이는 이름이다. |

글에 제목을
붙이는 방법

1 제목은 글의 내용을 잘 드러낼 수 있어야 한다.

2 제목은 글의 내용과 어울려야 한다.

글의 제목을 붙일 땐 글의 중요한 내용을 파악해야 해요.

ⓛ놀랍게도 '운하' 가설 옹호자들은 이것에 대해 대형 망원경이 높은 배율 때문에 어떤 대기 상태에서는 오히려 왜곡이 심해서 소형 망원경 ～다고 '해명'하곤 했던 것이다.

위 글의 제목

46. 위 글의 제목으로 가장 적절한 것은?

① 천문학과 지리학의 만남: 화성 지도

② 설명과 해명: ～

③ 과학과 신화: ～

④ 과학사의 그늘: ～

⑤ 과학의 방법: 경험과 관찰

수능에는 글의 중심 내용이나 중심 생각을 파악해 알맞은 제목을 정하는 문제가 나와요.

상위권의 기준

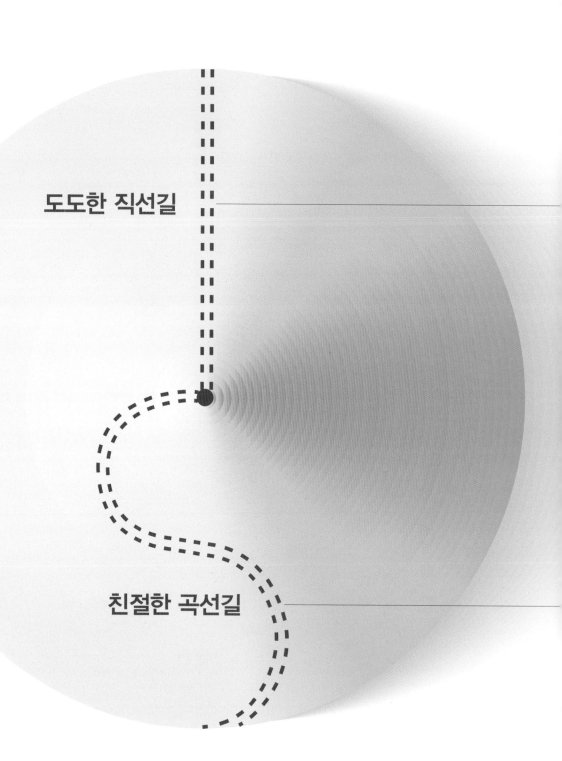

도도한 직선길

친절한 곡선길

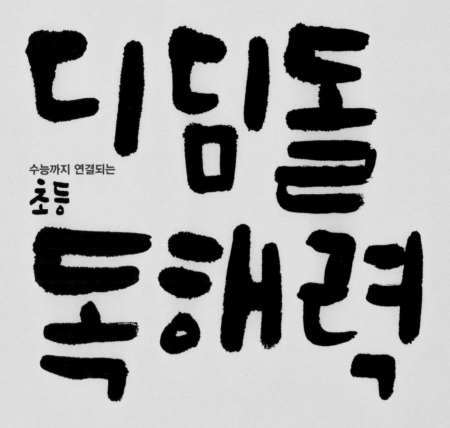

수능까지 연결되는
초등

디딤돌
독해력

정답과 해설

수능까지 연결되는
초등

디딤돌 독해력

정답과 해설

1

디딤돌

1 Day 11~14쪽
❶ 장자못
❷ 아기 다람쥐의 이사

자루 시주 광경

1 ④　　　**2** ④　　　**3** ❷○

4 ❷○　　　**5** ①, ④

1 욕심이 많고 성격이 못된 시아버지를 벌주려
고 온 스님은 며느리에게 내일 이 집을 피해
뒷산으로 달아나되 무슨 소리가 나도 뒤돌아
보지 말라고 하였습니다.

2 주어진 낱말 '쌀, 물, 돌'에는 각각 받침 'ㄹ'이
들어갑니다.

3 며느리는 집을 피해 도망가고 있었는데 조금
전까지 있던 것이 없어졌다고 한 것으로 보
아, ㉠ 안에는 '집'이 들어간다는 것을 알 수
있습니다. '집'은 '자음자＋모음자＋자음자'의
구조로 되어 있는 글자로, 받침 'ㅂ'이 들어갑
니다.

4 '장자못'은 '장자'란 사람이 욕심을 부린 나머
지 그의 집에 물이 들어차 연못이 되어 버려
붙여진 이름입니다.

5 아기 토끼는 이사를 간 아기 다람쥐가 선물로
준 호두 목걸이를 잃어버려서 슬프고 속상해
서 눈물을 흘렸습니다.

2 Day 15~18쪽
❶ 김장하는 날
❷ 도산 안창호

찬장 마당 채비

1 ❶-㉲　❷-㉮　❸-㉯

2 ❶물　❷문　❸팔　❹팥

3 소금, 양념　　　**4** 김치　　　**5** ①

1 엄마와 이웃 아주머니들께서는 같이 김장을
하셨는데, 엄마는 미나리와 파를 다듬었고,
옆집 아주머니께서는 무를 썰었으며, 앞집 아
주머니께서는 마늘을 찧었습니다.

2 주어진 그림은 '물, 문, 팔, 팥' 그림입니다.
'물'과 '문'은 '무'에 각각 받침 'ㄹ'과 'ㄴ'이 들
어가고, '팔'과 '팥'은 '파'에 각각 받침 'ㄹ'과
'ㅌ'이 들어갑니다.

3 글의 내용으로 보아 김장을 할 때 먼저 하는
일은 배추를 소금에 절이는 것이고 마지막에
하는 일은 배추에 양념을 넣어 버무리는 것입
니다. '소금'의 '금'은 '그'에 받침 'ㅁ'을 넣어
'금'이 되고, '양념'은 '야'에 받침 'ㅇ'을 넣어
'양', '녀'에 받침 'ㅁ'을 넣어 '념'이 됩니다.

4 주어진 그림은 '배추김치, 총각김치'이므로 알
맞은 낱말은 '김치'입니다.

5 바깥으로 나가면 위험한 상황인데도 친구 딸
과의 약속을 지키기 위해 친구 집에 다녀오려
는 안창호 선생님의 행동으로 보아, 약속은
꼭 지켜야 한다는 안창호 선생님의 생각을 알
수 있습니다.

모둠   상냥한   정성

1 ❶○   **2** 꿈   **3** ①, ④
4 ❶○   **5** ❶-㉯ ❷-㉮

소중한   생기   빙그레

1 꺾이지   **2** ④   **3** ❷○
4 ③   **5** ③

1 이 시의 제목으로 보아 '선생님'에 대해 쓴 시라는 것을 알 수 있습니다.

2 선생님의 웃음에는 정성, 사랑, 우리의 꿈이 담겨 있다고 했습니다. '꿀'과 '꿈'은 글자가 비슷하지만 '꿀'은 '꿀벌이 꽃에서 빨아들여 벌집 속에 모아 두는, 달콤하고 끈끈한 액체.'라는 뜻이고, '꿈'은 '이루고 싶은 희망.'이라는 뜻입니다.

3 선생님의 웃음을 상냥한 웃음, 친절한 웃음, 고마운 웃음이라고 표현하였습니다.

4 '웃음'과 '울음'은 글자의 모양이 비슷하지만 '웃음'은 '웃는 일. 또는 그런 소리나 표정.'이라는 뜻이고 '울음'은 '우는 일. 또는 그런 소리.'라는 뜻으로 전혀 다른 뜻입니다.

5 글자가 비슷한 낱말인 '시간'과 '시장'의 뜻을 구분하여 봅니다.

1 어머니께서는 토마토 모종이 꺾이지 않게 하기 위해서 나무 막대기를 꽂아 실로 토마토 모종을 묶으신 것입니다. '꺾이지'를 '꺽이지'나 '꺼이지'라고 쓰지 않도록 주의합니다.

2 'ㄲ'과 'ㅆ'처럼 같은 자음자가 두 개인 받침인 쌍받침에 주의합니다. '묶'에는 쌍받침 'ㄲ'이 들어갑니다. '밖', '낚', '꺾'에는 모두 쌍받침 'ㄲ'이 들어가는데, '잤'에는 쌍받침 'ㅆ'이 들어갑니다.

3 어머니께서는 햇볕이 너무 강해서 토마토가 말라 죽을까 봐 우산으로 가려 주는 것이라고 말씀하셨습니다.

4 수정이는 토마토 모종이 생기를 되찾은 모습을 보고 누구보다 기뻐했습니다.

5 수정이는 해님이 따뜻한 햇살을 비추어 토마토를 포근하게 감싸 준다는 것을 알고 있었기 때문에 방긋 웃은 것입니다.

5 Day 27~30쪽 굴참나무와 오색딱따구리

몽땅 앓기 쓸쓸이

1 ❶○   2 ❶-④ ❷-㉮
3 ①   4 ❶-㉮ ❷-④
5 ④

1 Day 35~38쪽 ❶구멍 난 그릇 ❷심심해서 그랬어요

이튿날 보름 심심해서

1 ④   2 ①   3 ㉢
4 ❶○   5 ④

1 산비둘기는 오색딱따구리는 나무를 쪼아 대서 시끄럽다며 오색딱따구리가 굴참나무에서 사는 것을 반대하였습니다.

2 겹받침에 주의하며 그림에 알맞은 낱말을 찾아봅니다. ❶ '구'에 겹받침 'ㄺ'이 들어가면 '굵'이 되고, ❷ '아'에 겹받침 'ㄵ'이 들어가면 '앉'이 됩니다.

3 '앓'에는 겹받침 'ㄶ'이 들어 있으므로 같은 받침이 들어 있는 글자는 ①의 '뚫'입니다. ②의 '많'에는 겹받침 'ㄶ'이, ③의 '삶'에는 겹받침 'ㄻ'이, ④의 '얇'에는 겹받침 'ㄼ'이 들어 있습니다.

4 굴참나무가 병이 들자 산비둘기는 가족을 데리고 떠났지만, 오색딱따구리는 굴참나무의 병을 낫게 해 주려고 나쁜 벌레를 잡았습니다.

5 굴참나무는 마음 쓸쓸이가 넉넉하고, 새들이 자신을 힘들게 해도 꾹 참을 줄 아는 성격을 가졌습니다.

1 동물 나라 임금은 동물들에게 아픈 상처를 치료할 수 있는 신기한 약을 주면서 가장 아름다운 그릇을 빚어 보라고 하였습니다.

2 임금은 사슴이 만든 그릇의 바닥에 구멍이 뻥 뚫려 있어서 고개를 갸우뚱하였습니다.

3 ㉠은 놀리는 목소리로 읽는 것이 어울리고, ㉡은 궁금해하는 목소리로 읽는 것이 어울립니다. ㉢은 사슴이 고개를 숙이고 대답했다고 하였으므로 힘없는 목소리로 읽는 것이 어울립니다.

4 그릇의 바닥을 떼어 염소의 아픈 다리에 발라 준 사슴이 한 일을 듣고 동물 나라 임금이 매우 기뻐하였으므로, 임금이 할 행동으로 알맞은 것은 ❶입니다.

5 소들이 보리밭으로 뛰어가 보리를 먹는 모습을 보고 돌이가 발을 동동 구른 행동으로 보아, 돌이는 속상해하면서 ④처럼 말했을 것입니다.

수탉과 돼지

수탉   도와주라고   칭찬

1 ❷○   **2** ①   **3** ④
4 ❶○   **5** ⓒ

1 돼지는 수탉에게 자신의 예쁜 코를 자랑하며 잘난 척한다고 하였으므로 자기만 생각하고 잘난 체를 잘하는 성격을 가진 인물은 돼지입니다.

2 하늘 나라 임금님은 땅 위의 사람들을 도와주라고 돼지와 수탉을 땅으로 내려보냈습니다.

3 땅으로 내려가 사람들을 도와주라는 임금님의 명령에 돼지가 한 말로 보아 돼지는 하고 싶지 않아 불평하는 말투로 말했을 것입니다.

4 사람들을 도와줄 일을 찾아 나선 수탉은 시계가 없어 늦잠을 자는 사람들의 모습을 보고, 아침마다 사람들을 깨워 주는 일을 하겠다고 하였습니다.

5 ㉠은 우렁찬 목소리가 어울리고, ㉡은 화가 난 목소리가 어울립니다. ㉢은 자신의 행동을 후회하는 목소리로 읽는 것이 어울립니다.

❶ 꼭 필요해
❷ 놀부의 제비집 찾기

연주회   주목   공손하게

1 ③   **2** ④
3 ❶ 예 ❷ 아니요 ❸ 예   **4** ㉮, ㉯
5 ②

1 콘트라베이스인 '나'는 무거운 소리만 나고 연주회에서 주목받지 못한다고 생각하여 슬퍼하였습니다.

2 '나'는 바이올린이 높은 음에 가장 아름다운 소리를 낼 수 있는 점을 부러워하였습니다.

3 친구들은 '내'가 자기들은 낼 수 없는 소리를 내기 때문에 연주회에 꼭 필요한 소리라고 하였고, '내'가 없으면 전체적으로 아름다운 연주회가 될 수 없다고 하였습니다.

4 이 글에서 '나'는 연주회에서 주목받지 못하여 슬퍼하였다가 친구들의 위로를 받고 기분이 좋아졌습니다.

5 놀부는 동생 흥부가 부자가 되었다는 소식을 듣고 샘이 나서 놀부네 집으로 달려갔습니다.

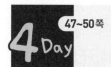

4 Day 47~50쪽 ❶ 악어와 악어새
❷ 꼬마

잔뜩   노려보면   훌쩍훌쩍

1 ❶새 ❷악어   **2** ④
3 ③   **4** ①   **5** ②

5 Day 51~54쪽 ❶ 괘종시계와 뻐꾸기시계
❷ 설문대 할망

제주도   괘종시계   흉내

1 ④   **2** ③   **3** 시각
4 ❶○   **5** ③

1 악어의 등에 앉은 아주 작은 새 한 마리가 악어에게 잡아먹히는 줄 알고 겁이 나서 두 눈을 꼭 감아 버렸다고 하였습니다.

2 악어는 이빨 사이에 뭔가 잔뜩 낀 것이 너무 아파 울었습니다.

3 자신의 입으로 들어가 청소를 해 달라는 악어의 부탁을 듣고 새가 한 말로 보아, 새는 깜짝 놀라 소리쳤을 것입니다.

4 자신을 도와준 새에게 악어가 한 말로 보아 악어는 새에게 고마운 마음이 들었을 것입니다.

5 '나'를 '꼬마'라고 놀린 형우를 '나'는 한 대 때려 주고 싶었지만 꾹 참고 집으로 돌아왔다고 하였습니다.

1 뻐꾸기시계는 괘종시계의 소리 때문에 자신의 소리가 잘 들리지 않는다고 생각하여 속상하였습니다.

2 (가)에서 뻐꾸기시계와 괘종시계가 서로 다투고 있으므로 둘은 화가 난 표정이 어울립니다.

3 (나)에서 송이는 괘종시계와 뻐꾸기시계에게 시각을 알려 주어서 고맙다고 하였습니다.

4 시각을 정확히 알려 주어 고마워하는 송이를 보고, 뻐꾸기시계와 괘종시계는 자신들이 다툰 것을 후회하면서 시각을 정확히 알려 주기 위하여 노력하였을 것입니다.

5 설문대 할망은 자신이 앉아서 쉴 만한 산을 하나 만들기로 하고 제주도 한가운데에 흙을 차곡차곡 쌓았습니다.

3 WEEK

1 Day 59~62쪽
❶ 곰과 여우
❷ 오리

골짜기 풍덩 성큼성큼

1 ② **2** ③ **3** ①
4 ❶○ ❹○ **5** ②

1 '슬금슬금'은 여우가 걷는 모습을 흉내 내는 말입니다.

2 여우가 곰에게 나무에 있는 꿀을 따서 나눠 먹자고 하여서 곰은 여우와 함께 꿀을 따기 위해 여우의 뒤를 따라갔습니다.

3 혼자서 꿀을 다 먹기 위해 벌집을 받아 들고 도망가는 여우의 행동에서 여우는 욕심이 많은 성격임을 알 수 있습니다.

4 벌들에게 쏘인 여우가 소리 내어 울었다고 하였으므로 알맞은 흉내 내는 말은 '엉엉'과 '훌쩍훌쩍'입니다.

5 엄마 오리가 못물 속에 빠지는 소리를 흉내 내는 말은 '풍덩'입니다. '퐁당'은 아기 오리가 못물 속에 빠지는 소리를 흉내 내는 말입니다.

2 Day 63~66쪽
❶ 청개구리 거꾸리
❷ 그만뒀다

버릇 시늉 꿀밤

1 궁금이 **2** 다 **3** ④
4 ❶○ **5** ③

1 이 글에서 청개구리 거꾸리는 무엇이든지 거꾸로 말하는 버릇이 있고, 궁금이는 무엇이든지 물어보는 버릇이 있다고 하였습니다.

2 '퉤퉤'는 '침이나 입 안에 든 것을 자꾸 뱉는 소리. 또는 그 모양.'을 뜻하는 흉내 내는 말입니다.

3 거꾸리는 무엇이든지 거꾸로 말하는 버릇이 있는 인물로, 가벼운 개미를 들면서 무거운 물건을 집어 드는 시늉을 하였습니다. 그러므로 거꾸리가 개미를 들었을 때의 표정은 무거워서 찡그리는 표정이 어울립니다.

4 거꾸리는 무엇이든지 거꾸로 말하는 버릇이 있지만 돌부리에 발이 걸려 넘어졌을 때는 정말 아파하면서 거꾸로 말하지 않았습니다.

5 말하는 이는 신발을 물어 던진 강아지 녀석을 혼내 주려다 그만뒀다고 하였습니다.

3 Day _{67~70쪽} ❶어부와 멸치 ❷이순신 장군

운 동여매고 싱글벙글

1 ② **2** 수연 **3** 바들바들
4 ❷○ ❸○ **5** ❶○

4 Day _{71~74쪽} ❶현장 체험 학습 ❷우리 반 키 재기

돗자리 씩씩하게 대보자

1 ③ **2** 감자 **3** ❷○
4 ❹ **5** ②

---

1 고기를 잡기 위해 바다로 나간 어부는 한참이 지나도 아무것도 잡히지 않아 실망스러운 마음이 들었을 것입니다. 그리고 얼마쯤 시간이 지나고 큰 고기가 그물에 많이 걸린 것 같았을 때는 즐거운 마음이 들었을 것입니다.

2 ㉢은 어부가 그물 안에 멸치들이 가득 들어 있는 것을 보고 '하하하' 웃으며 한 말이므로, 큰 소리로 기쁘게 웃으면서 말하는 것이 어울립니다.

3 '바들바들'은 '몸을 자꾸 작게 바르르 떠는 모양.'을 흉내 내는 말로, 멸치가 몸을 바르르 떠는 모습을 흉내 내는 말로 알맞습니다.

4 어부는 멸치들을 잡아 집으로 돌아왔으므로, ❶은 어부가 한 일이 아닙니다.

5 ㉠에는 이순신 장군이 말에서 떨어져서 다친 다리로 걷는 모습을 흉내 내는 말이 들어가야 합니다. '절룩절룩'은 '걸을 때에 잇따라 다리를 몹시 저는 모양.'을 흉내 내는 말입니다.

1 이 글의 종류는 일기로, 일기에는 글쓴이가 그날 한 일 중에서 기억에 남는 일과 그 일에 대한 글쓴이의 생각이 드러나 있습니다.

2 글쓴이는 현장 체험 학습 장소에 도착하여 감자 캐기를 하였습니다.

3 ❷에는 뜨거운 감자를 입으로 부는 모습을 흉내 내는 말인 '호호'를 사용하였습니다.

4 이야기나 시를 실감 나게 표현하기 위해서는 흉내 내는 말을 사용할 수 있습니다. 흉내 내는 말을 사용하여 시로 표현한 것은 ❹입니다. ❹의 시에서 흉내 내는 말은 '팍팍', '사르륵사르륵', '노릇노릇', '뜨끈뜨끈', '냠냠 냠냠'입니다.

5 선생님이 웃으며 말씀하셨다고 하였으므로 ㉠에는 웃음소리를 흉내 내는 말인 '하하하'가 들어가는 것이 알맞습니다.

❶흉내 내는 말
❷비 오는 날

드르렁드르렁   고는   말까

1 소리   2 ④   3 ㉮○
4 ③   5 ㉣

❶여우와 두루미
❷동물원에서 일어난 일

이웃   실컷   도저히

1 ②   2 부리   3 ④
4 ④   5 ②

1 '드르렁드르렁'은 매우 요란하게 코를 고는 소리를 흉내 내는 말입니다.

2 '색색'은 '숨을 고르고 가늘게 쉬는 소리.'를 흉내 내는 말로, 귀엽고 조그만 아기가 자는 소리를 흉내 내는 말로 어울립니다.

3 강아지의 모습을 흉내 내는 말이 나타난 시로 알맞은 것은 ㉮입니다. ㉯는 새싹이 땅속에서 나오는 모습을 흉내 내는 말을 사용하여 나타낸 시입니다.

4 시나 이야기에서 흉내 내는 말을 사용하면 소리나 모양을 재미있게 나타낼 수 있고, 글에 흉내 내는 말이 있으면 느낌과 분위기를 살려 읽을 수 있습니다.

5 ㉠~㉣을 비가 내리는 소리가 작은 것부터 큰 순서대로 나열하면 '조록조록', '쪼록쪼록', '주룩주룩', '쭈룩쭈룩'입니다.

1 두루미는 여우가 자신을 저녁 식사에 초대하여서 무척 신이 났습니다.

2 여우는 두루미에게 납작한 접시에 음식을 담아 주었습니다. 두루미는 부리가 길어서 납작한 접시에 있는 음식을 먹지 못하였습니다.

3 여우의 집에서 음식을 먹지 못해 화가 난 두루미는 여우를 저녁 식사에 초대하여 여우가 음식을 먹지 못하게 음식을 긴 병에 담아 주었습니다.

4 여우가 음식을 담아 준 긴 병을 보고 뒷머리를 벅벅 긁은 여우의 행동에서 당황스러운 마음이 드러났음을 알 수 있습니다.

5 은주가 진수의 발을 밟은 것이 아니라 진수가 뛰어오다가 은주의 발을 밟은 것입니다.

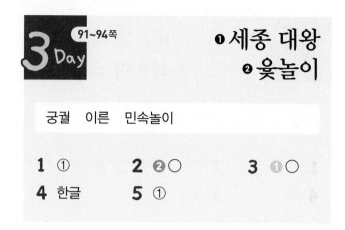

2 Day 87~90쪽 — 게가 되고 싶은 새우

쏘가리 소 쌍

1 ② **2** 집게발 **3** ②
4 ③ **5** ②

3 Day 91~94쪽 — ❶세종 대왕 ❷윷놀이

궁궐 이른 민속놀이

1 ① **2** ❷○ **3** ❶○
4 한글 **5** ①

1 새우 마을에 흉내 내기를 좋아하는 새우가 한 마리 살고 있다고 하였습니다.

2 흉내쟁이 새우는 커다란 집게발을 휘두르고 다니는 게가 부러워서 용왕님께 집게발을 갖고 싶다는 기도를 하였고, 용왕님은 새우에게 집게발 한 쌍을 달아 주었습니다.

3 용왕님께 집게발을 받은 새우는 곧장 게 동네를 찾아갔습니다.

4 게 마을에서 쫓겨난 새우는 다시 새우 마을로 돌아갔지만, 그곳에서도 흉측한 집게발을 단 것은 새우를 망신시키고 새우 마을의 명예를 더럽히는 짓이라고 흉내쟁이 새우를 당장 내쫓았습니다.

5 집게발이 달린 새우의 모습은 새우도, 게의 모습도 아니어서 물고기들은 그런 새우를 보면서 '게다', '새우다' 하면서 놀렸습니다.

1 이 글은 세종 대왕이 한글을 만들게 된 배경과 한글을 만든 과정에 대해 쓴 전기문입니다.

2 세종 대왕이 나라를 다스리던 때에는 백성들이 배우기 어려운 한자를 사용하고 있어서 어려움이 많았습니다.

3 세종 대왕은 우리말을 쉽게 적을 수 있는 글자를 만들기 위해 밤낮으로 노력하였는데, 눈병이 났을 때에도 글자를 만들기 위하여 계속 노력하였습니다.

4 세종 대왕과 학자들이 만든 글자로, 오늘날에 우리가 쓰고 있는 글자는 한글입니다.

5 지난주 수요일에 인수네 반 친구들은 교실에서 윷놀이를 하였습니다. 윷놀이는 담임 선생님께서 아이들에게 민속놀이의 재미를 알려 주기 위하여 마련한 것입니다.

4 Day 95~98쪽 ❶수민이와 곰 인형 ❷욕심부린 사자

보행기 질질 쪽지

1 ③　　**2** 다, 나, 가　　**3** 곰 인형

4 ④　　**5** ④

5 Day 99~102쪽 ❶물은 요술쟁이 ❷쓰레기를 버리지 말자

얼른 정상 경치

1 물　　**2** ❷○　　**3** ③

4 ②　　**5** ④

---

1 어머니께서는 수민이가 쓰지 않는 물건을 모두 상자에 담으시면서 수민이에게 쓰지 않는 물건들을 필요한 사람에게 주자고 말씀하셨습니다.

2 일요일 오후에 어머니께서는 대문에 쓰지 않는 물건을 드린다는 종이를 붙이셨습니다. 수민이와 어머니는 철호 어머니께 세발자전거를 드렸고, 앞집의 순이 어머니께는 보행기와 인형을 드렸습니다.

3 늦은 밤에 인형이 가지고 싶어 찾아온 아주머니와 여자아이에게 수민이는 책상 옆에 놓아두었던 커다란 곰 인형을 드렸습니다.

4 수민이와 어머니는 곰 인형을 받고 환하게 웃는 여자아이를 보았을 때 흐뭇하고 뿌듯한 마음이 들었을 것입니다.

5 먹이를 찾기 위해 사냥을 나간 사자는 잡을 수 있는 토끼 대신 더 크고 맛있는 사슴을 잡으려고 하였지만, 사슴과 토끼를 모두 놓쳐 아무것도 먹지 못하게 되었습니다.

1 이 글에서 '나'는 여러 가지로 변하는 물입니다.

2 '나'는 수증기가 되면 점점 가벼워져서 김이 되어 밖으로 나가게 되고, 하늘로 올라가서 구름이 됩니다.

3 '나'는 김, 수증기, 구름, 비, 눈 등이 된다고 하였습니다. 바람이 된다는 내용은 이 글에 나와 있지 않습니다.

4 이 글에서 '나'는 김, 수증기, 구름, 비, 눈 등 여러 가지로 변하여서 요술쟁이라고 표현한 것입니다.

5 '나'와 아버지는 함께 등산을 하였고 산 정상에 도착하였습니다. 산 정상은 사람들이 버린 쓰레기들 때문에 이상한 냄새가 나고 지저분하였습니다.

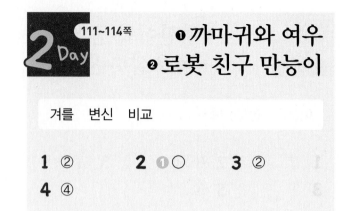

영양분 양보 돌부리

1 ④   **2** ❷○   **3** ④
4 양보   **5** ①

겨를 변신 비교

1 ②   **2** ❶○   **3** ②
4 ④

1 눈은 자신이 없으면 아무것도 볼 수 없기 때문에 자신이 최고라고 하였습니다.

2 몸에서 연필을 잡고, 장난감을 가지고 놀고, 예쁜 반지를 손가락에 끼우는 부분은 손입니다.

3 발이 없을 때 생길 수 있는 문제점은 반듯하게 서 있을 수 없고, 걸을 수 없다는 것입니다. ②는 눈이 없을 때, ③은 손이 없을 때 생길 수 있는 문제점입니다.

4 눈, 코와 입, 손, 발은 서로 양보하지 않아서 자기 자랑은 밤새도록 끝나지 않았습니다.

5 지연이는 김치가 너무 매워서 먹고 싶지 않다고 하였습니다.

1 여우는 생선을 입에 물고 나뭇가지에 앉아 있는 까마귀를 보고 까마귀가 물고 있는 생선을 뺏기 위해 궁리하였습니다.

2 주어진 그림은 까마귀가 날개를 퍼덕이며 입을 크게 벌리자 생선이 아래로 떨어지는 모습입니다.

3 여우의 꼬임에 넘어가 생선을 빼앗긴 까마귀는 어리석은 성격임을 알 수 있습니다.

4 '나'는 시험에서 로봇인 만능이가 답을 불러 줄 것이라고 생각했습니다. 하지만 만능이의 건전지를 갈아 주지 않아서 만능이는 '나'에게 답을 불러 줄 수가 없었습니다.

3 Day
115~118쪽
❶ 이사를 간 물고기
❷ 신호를 지킵시다

이사 차창 신호

1 ❶ 아버지 ❷ 샘골(냇가)　**2** ②
3 ①　　　**4** ④　　　**5** 신호

4 Day
119~122쪽
❶ 송아지와 바꾼 무
❷ 꿀벌

탐스러운 평생 귀한

1 ①　　**2** ④　　**3** 무
4 ①　　**5** ❷ ○

---

1 일요일 아침에 영수는 아버지와 함께 고향 마을인 샘골로 갔습니다.

2 아버지와 영수가 냇가에 다다랐을 때 냇물에서 나는 냄새를 맡고 아버지는 깜짝 놀라셨습니다.

3 영수는 샘골에서 물고기를 볼 수 있다는 기대감이 있었지만 냇물이 더러워져 물고기들을 전혀 볼 수 없자 속이 상하였습니다.

4 냇물이 더러워진 까닭을 생각해 보면 영수가 사람들에게 하고 싶은 말을 알 수 있습니다. 영수는 사람들이 쓰레기를 함부로 버리지 않으면 좋겠다고 생각하였을 것입니다.

5 철수는 교통사고를 줄이기 위해 길을 건너는 사람이 신호를 잘 지켜야 한다고 생각합니다.

1 농부는 밭에서 뽑은 커다란 무가 신기해서 고을 사또에게 바치기로 하였습니다.

2 농부가 무를 바치고 송아지를 받은 사실을 안 욕심꾸러기 농부는 농부가 받은 선물보다 더 큰 선물을 받고 싶어서 사또에게 송아지를 바쳤습니다.

3 사또는 송아지를 선물한 욕심꾸러기 농부에게 무를 선물하였습니다.

4 욕심꾸러기 농부는 농부가 받은 선물보다 더 큰 선물을 받기 위해 송아지를 선물했는데 무를 받아서 실망한 마음이 들었을 것입니다.

5 꿀이 멀리 있음을 알려 줄 때에 꿀벌들은 8자 모양을 그리며 춤을 춘다고 하였으므로 알맞은 꿀벌의 춤은 ❷입니다.

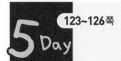

5 Day 123~126쪽

❶ 재미있는 놀이
❷ 서서 자는 동물

가위바위보 술래 꾸벅꾸벅

1 ③   **2** 다, 나, 가   **3** ②
4 ❶○   **5** ❶○

1 Day 131~134쪽

제목 짓기 (1)

골고루 동시에 덕에

1 ①   **2** ③   **3** ③
4 ❷○   **5** ②

1 이 글에서는 옛날 어린이들이 즐겨 했던 놀이로 꼬리잡기, 비사치기, 그림자밟기를 설명하고 있습니다.

2 꼬리잡기는 먼저 여러 사람이 한 줄로 늘어서서 뒷사람은 앞사람의 허리를 잡고 몸을 굽힙니다. 그리고 맨 앞 사람이 술래가 되어 맨 뒤의 사람을 잡습니다.

3 그림자밟기의 설명을 보면 그림자밟기는 다른 사람의 그림자를 찾는 놀이가 아닌 밟는 놀이입니다.

4 비사치기를 할 때 이기려면 줄에 세워 놓은 상대편 돌을 모두 넘어뜨려야 합니다.

5 주어진 그림은 황새와 기린이 서 있는 모습입니다. 그림과 관련된 이 글의 중요한 문장은 ❶입니다.

1 악동이와 새순이는 불이 났을 때 도와준 자신의 이웃들을 자랑하였습니다.

2 불이 났을 때 나무 위로 이웃들을 옮겨 준 동물은 원숭이입니다.

3 마을에 불이 났을 때 동물들이 도와주지 않았다면 이웃들이 불이 난 곳을 빠져나갈 수 없어서 크게 다쳤을 것입니다.

4 이 글은 불이 난 마을을 도와준 이웃들을 자랑하는 내용이므로 제목으로 가장 어울리는 것은 '자랑스러운 이웃'입니다.

5 건강을 위해 음식을 골고루 먹어야 한다는 것이 이 글의 중요한 내용입니다.

제목 짓기 (2)

멋쩍게 오염 일회용

1 ①○   **2** ②
3 ①흙 **②**동물   **4 ②**○
5 ①

1 현장 체험 학습을 다녀온 기태는 엄마께 다음에는 도시락을 일회용 도시락으로 싸 달라고 하였습니다.

2 일회용 도시락을 싸야 하는 이유에 대해 도시락을 배부르게 먹을 수 있다는 내용은 글에 나오지 않습니다.

3 어머니께서는 일회용품이 썩으면 나쁜 물질이 나오고, 나쁜 물질이 흙에 섞이며, 그곳에서 식물이 자라고, 그 식물을 동물이 먹으면 동물의 몸속까지 나쁜 물질이 들어가게 된다고 하셨습니다.

4 이 글에서는 환경 오염을 줄이기 위해 일회용품 사용을 줄이자는 말을 하고 있기 으므로 제목으로 알맞은 것은 **②**입니다.

5 ㉠~㉣ 중에서 이 시의 제목으로 가장 알맞은 것은 ㉠입니다. 시의 제목을 붙일 때에는 시에서 가장 중요한 낱말도 제목이 될 수 있습니다.

제목 짓기 (3)

계량기 꽃개 킬로와트

1 ③   **2** ①   **3** ②
4 ③   **5** 휴대 전화

1 이 글의 끝부분에 '○○일보'라고 나와 있으므로 이 글은 신문 기사임을 짐작할 수 있습니다. 이 글은 전기를 아끼기 위해 노력한 사람을 소개한 신문 기사입니다.

2 수진이는 전기를 아껴 쓰기 위해 냉장고의 꽃개를 빼지는 않았습니다.

3 수진이가 전기를 아껴 쓰기 위해 노력한 결과 전기 사용량이 줄어들었습니다.

4 이 글은 초등학생이 전기를 아껴 쓴 내용을 알려 준 글이므로, 전기를 아끼는 것은 누구나 할 수 있고 어렵지 않다는 것을 말해 주려는 것으로 생각할 수 있습니다. 그러므로 가장 알맞은 제목은 ③입니다.

5 이 글에서 가장 중요하게 나오는 낱말은 '휴대 전화'입니다. 글의 제목을 붙일 때는 글에서 가장 중요한 낱말을 쓸 수도 있습니다.

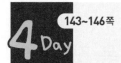

❶ 자연은 발명왕
❷ 약속

주변   지루하고   문어

1 빨판   **2** ❶ 민들레씨 ❷ 털

3 ②, ④   **4** 수지   **5** ④

❶ 은혜 갚은 꿩
❷ 독도의 여러 이름

사투리   헛간   친친

1 ④   **2** 미소   **3** ④

4 라   **5** ③

1 인형이나 칫솔걸이를 유리창에 붙일 때 사용하는 물건은 문어의 빨판을 본떠 만들었습니다.

2 낙하산이 비행기에서 안전하게 내려올 수 있는 것은 민들레씨의 실 끝에 털이 여러 개 달려 있어서 둥둥 떠서 멀리 날아갈 수 있고, 천천히 땅에 떨어지게 되는 원리를 본떠 만들었기 때문입니다.

3 도꼬마리 열매는 갈고리 모양의 가시가 많이 있고 짐승의 털에 잘 붙는다고 하였습니다.

4 이 글의 제목이 '자연은 발명왕'인 까닭은 이 글이 동물과 식물 같은 자연을 본떠 만든 물건이 많다는 내용이기 때문입니다.

5 이 글에서 글쓴이는 약속을 지키지 않는 친구를 예로 들어 약속 시간을 꼭 지켜야 한다는 말을 하고 있습니다.

1 이 이야기에는 나그네, 꿩, 구렁이가 나옵니다. 까마귀는 나오지 않습니다.

2 이 글의 제목으로 보아 꿩이 누군가의 은혜를 갚는 내용임을 짐작할 수 있습니다.

3 동생 구렁이는 오라버니를 죽인 나그네에게 원수를 갚기 위해 나그네를 찾아온 것입니다.

4 이 글에서 가장 먼저 일어난 일은 구렁이가 꿩을 잡아먹으려고 한 것을 목격한 나그네가 활을 쏘아 꿩을 구한 것입니다. 이 글을 차례대로 정리하면 **'라 – 가 – 다 – 나'**입니다.

5 '우산도, 삼봉도, 돌섬, 독섬'은 예전에 독도가 불리어진 이름입니다.

상위권의 기준

최상위
수학

수학 좀 한다면

상위권의 기준

최상위
수학
S

수학 좀 한다면

초등수학은 디딤돌!

아이의 학습 능력과 학습 목표에 따라
맞춤 선택을 할 수 있도록
다양한 교재를 제공합니다.

문제해결력 강화 문제유형, 응용

개념 다지기 원리, 기본

개념＋문제해결력 강화를 동시에
기본＋유형, 기본＋응용